U0134835

臺中學
2018
The Study of Taichung

霧繞罩峰

阿罩霧的時光綠廊

林德俊 著

王志誠 主編

臺中市政府文化局

遠景
VISTA PUBLISHING

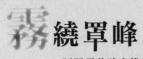

霧繞罩峰
阿罩霧的時光綠廊

CONTENTS

市長序
厚植臺中的在地文化

林佳龍

　　臺中位於臺灣南北交通的中點，氣候宜人，資源豐富，擁有良好的生活機能，更有優美的城市風景。多年來，我們積極活化市區，為市民打造一個生活的好所在，並且致力發展人文產業，為臺灣建立一座嶄新的文化城。

　　新臺灣國策智庫於 2018 年五月公布，臺中市是六都民眾心目中的最佳宜居城市，這是我們連續四次獲此殊榮，也是所有臺中市民努力的成果。除了推動城市建設，我們還要厚植在地文化，才能擁有豐富的精神生活，從「希望的臺中」邁向「進步的臺中」。

　　世界各地的重要城市都有自己的定位與特色，由文化局策畫出版的「臺中學」系列叢書，呈現出臺中市的獨特歷史脈絡和優質人文風貌，在 2016 年和 2017 年都受到文化界和學術界人士的關注與肯定。第一輯的主題包括臺中公園、林獻堂、葫蘆墩圳、清水及珍奶茶飲；第二輯的主題則有臺中火車站、第二市場、中央書局、天外天劇場及膠彩畫家林之助，充實的內容獲得各界的一致好評，引領讀者們深入認識臺中在地文化。

今年出版的「臺中學」第三輯，延續先前的嚴謹製作流程，特別邀請文史學者深入描寫楊肇嘉、八仙山、霧峰、客家聚落大茅埔、后里馬場以及和平區的原住民聚落，林景淵、蘇全正、蔡金鼎、管雅菁、林德俊、陳介英、林慶弧、郭双富、鄭安睎，透過充滿溫度的文字敘述和精采的圖示，帶領讀者穿越時光隧道，探索先人走過的痕跡，進而瞭解這些珍貴的歷史文化，如何造就出臺中現今的多元樣貌。

臺中人文薈萃，是名副其實的希望之城，也是富於文化底蘊的城市，建立在共生、共榮、共好的基礎上。讓我們透過閱讀的力量，把希望變成進行式，在追求進步的同時，也要珍惜自身擁有的文化資產，才能培養深厚的文化內涵，然後穩定地邁向新的階段，創造出人本、永續、活力的臺中。臺中的改變，會帶領臺灣的改變；臺中的進步，也會帶來臺灣的進步。

市長序

擁有豐富內涵的城市

王志城

　　臺中曾經是臺灣省城的所在地，其重要性不言可喻。臺中市的山、海、屯、城區開發，是一部生動的庶民墾荒史，值得我們深入研究，瞭解這塊土地的身世背景，才能產生情感連結，進而強化自我認同。

　　近年來，臺中市政府積極建構「臺中學」，讓社會大眾從自然、人文、歷史、地理等多方面的角度，廣泛認識這個擁有豐富文化內涵的城市。每一輯「臺中學」叢書皆是由專業的文史工作者執筆，選取能夠彰顯臺中特色的地景、人物和題材，呈現這座城市的不同風貌。透過這套書的內容，我們可以重溫百年來的城市風華，見證古時的純樸生活，檢視現在的繁榮進步，由此鑑往知來，讓臺中人更加珍惜自己擁有的一切。

　　延續第一輯與第二輯的內容規劃，第三輯「臺中學」選取臺中社運家楊肇嘉作為指標人物，由歷史學者蘇全正和林景淵執筆，《劍膽琴心：跨越兩個時代的六然居士楊肇嘉》介紹這位來自清水的仕紳如何投入民族運動、倡導地方自治。霧峰舊名「阿罩霧」，擁有美好的田園景致和優雅的藝文空間，作家林德俊（小熊老師）在《霧繞罩峰：阿罩霧的時光綠廊》詳述自己的老家如何成為引人入勝的文化小城。

　　為了讓「臺中學」的研究擴及大臺中全區域，我們前進后里，探索后

里馬場的建設經過與經營特色，由修平科技大學副教授林慶弧、臺灣文史學者郭双富寫成《奔騰年代：牧馬中樞的后里馬場》。 八仙山是中部推廣森林環境教育的重要基地之一 ，《千面八面：八仙山的百年樣貌》作者蔡金鼎、管雅菁從事社區營造工作多年，書寫臺灣林業經濟發展的興衰，以及當地人士造林、育林的生活轉變，其中蘊含幾代人的共同回憶。

逢甲大學陳介英教授擅長經濟社會與文化發展的研究 ，《茅埔成庄：東勢大茅埔客庄的過去與未來》呈現出客家庄的傳統生活，包括族群的衝突與融合，也讓我們看到大茅埔的蛻變。和平區是臺中市轄域內唯一的直轄市山地原住民區，日治時期屬於臺中州東勢郡蕃地，縣市合併前為臺中縣和平鄉，臺中教育大學鄭安睎老師所寫的《願社平和：和平鄉原住民聚落》帶領我們瞭解泰雅族人在此地的生活樣貌。

「臺中學」系列叢書問世之後，屢屢榮獲文化部、國史館的獎勵推薦，2018 年更獲得金鼎獎優良出版品推薦，以及讀者們的多方肯定。我們希望透過「臺中學」系列，將臺中在地的各種人文薈萃知識進行交流，共同發掘這個城市的美好故事，並讓它們永續傳承下去。

前言 Foreword

小 城 故 事 多

前往九二一地震教育園區，若從停車場來，須步上一座跨越乾溪的天橋，踩踏著當年地震發生時偵測到的
震波圖，心彷彿也跟著震動起來。（熊與貓咖啡書房／提供，鄧惠恩／攝影）

霧峰為中部較早開發的地區，舊稱「阿罩霧」，出自平埔族原住民洪雅族之社名譯音（Ataabu），另一說為此地東半部山區經常煙霧繚繞，因而得名。

　　霧峰有多遠？許多朋友「霧峰」、「霧社」傻傻分不清，也有不少人以為霧峰不在臺中，「有到中部時再到南投找你呵！」那是刻板印象的距離。甚至對習慣在城區走動的臺中人而言，霧峰也是個不易到達的地方，那是心理的距離。

　　位在臺中市最南端的霧峰沒想像中那麼遠，從臺中火車站搭上臺中客運 201 號（舊 100 號），約莫四十分鐘可抵壯觀老樹群庇蔭的省議會；如果開車，從國道三號下霧峰交流道便與省議會撞個正著，亦可從臺中市城區走國光路、中興路、中正路，一路筆直過來。臺中縣、市合併之後，南區以南納入屯區（大里、霧峰、太平、烏日），形成發展臺中城南文化的條件，沿著筆直廊道，從南區中興大學入關，途經大里杙老街、臺灣印刷探索館，吃個草湖芋仔冰，再起行，你便走進了城南文化之心──舊稱阿罩霧的霧峰，一個文化館舍聚集、田園景致圍繞的小城。

　　小城故事多，霧峰林家歷史風華重現、舊省府時

期建築活化再生、國立臺灣交響樂團在地音樂教育扎根、亞洲大學「霧峰學」師生協力民生診所再生、阿罩霧自然農共築「人天共好」田園夢、北溝故宮文物典藏山洞遺跡保存……，搭公車到省議會站下，不妨先轉進蘭生街，向友善旅人的獨立書店「熊與貓咖啡書房」請益私家霧峰走逛路徑。這兒是作家書房的延伸，也是文史工作的基地。

筆者期許自己寫出一本兼容文史性格與文化倡議的散文，寫作之前，原以為自己早已透過實際行動全方位地浸淫在霧峰的文化場域之中，但提起筆來，在史料爬梳中穿越古今，於訪問調查中挖深織廣，才發現霧峰真是一本翻不完的大書。雖日日行走其間，但有些閃逝的情景此生再不可能有機會踏入，有些人物的心聲亦不可能返回過去當面確認，這樣的感受令筆者再三提醒自己「記錄當下」的重要性。

此書的架構一開始與廖振富老師共同商議，實際撰述結果雖未完全遵照最初想定，但不致偏離太多。內容重點放在觀照霧峰的重生之路，稍回顧過去，記載現當代，懷抱著未來，尤其關心那些努力創造地方正向改變的貢獻者。受限於篇幅以及截稿日，有些故事不及寫

入，例如桐林社區復育貓頭鷹的故事，無疑預告著筆者另一部在地書寫計畫即將開始。

●此書得以完成，特別感謝以下諸君及單位慷慨提供資料或協力校正：李毓嵐、何佳修、吳東明、吳東晟、吳麗端、林芳媖、林承俊、林俊明、林錫銓、范道莊、柯義雄、孫崇傑、許家言、陳榮錦、陳茂祥、郭双富、彭永康、張芳玲、張有明、黃景建、曾士全、葉憲峻、廖振富、廖淑娟。明台高中、阿罩霧自然農、霧峰林家宮保第園區、霧峰區農會。（依姓氏筆畫排列）

第一章 Chapter 1

新世紀的霧峰林家

飛入尋常百姓家的活動精神，使得經營林家
古蹟的作法超越了經營一個臺灣民間傳統建
築博物館的思維，而更貼近公民大學及社區
文化場域的營造。

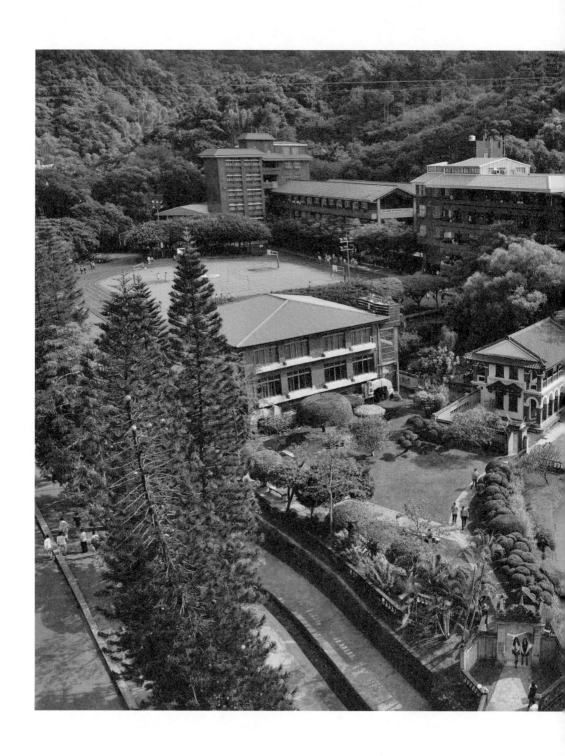

霧繞罩峰 │ 阿罩霧的時光綠廊

萊園主體位於今明台高中
校園裡，內有五桂樓、飛
觴醉月亭、林氏祖塋等。
（王維初／攝影）

學齡前筆者和外公、外婆住在霧峰甲寅村時，人稱「三欉榕仔」的「霧峰林家」雖在散步可達之處，然而一個三歲小孩奔跑的範圍離不開家屋方圓五十公尺的世界，大人沒有告訴小孩這個村落的命名源自一個傳奇家族的人物「林甲寅」。後來三歲小孩長成了少年，歷史老師在課堂上講到民族英雄「林文察」、「林獻堂」時，只覺得那是離自己很遠的人物，未曾意識到他們的宅第曾經離自己居住的平房那麼近。

臺灣傳統建築的百科全書

　　中學時期，已經移居臺中市區的母親某天心血來潮，吆喝眾親友陪她「回娘家」，但這回不是去看阿公、阿嬤，而是去看母親娘家附近的大宅院——名列國定古蹟的霧峰林家建築。自中區三民路出發，經中興大學一路向南，過了草湖橋，車子便駛進霧峰中正路最熱鬧的一段街區，在地人稱「霧峰街」，霧峰街和霧峰林家隔著一大片霧峰市場，大夥在此下車，穿街走巷，終於抵達霧峰林家「宮保第」。

　　「宮保」？是宮保雞丁的那個「宮保」？後來問了外號「阿風師」的歷史老師，阿風師答道：「沒錯，

相傳過去百姓不敢直呼宮保第宅名，以宅第前的三棵榕樹代稱，老一輩霧峰鄉民口中的「三欉榕仔」指的就是霧峰林家；而今古蹟活進一個新的時代，舉辦起三欉榕仔文化講座，把在地文史工作者和作家邀請到宮保第前庭的榕樹下開講。（陳冠閔／攝影）

據説清朝名官丁寶楨發明將雞丁、辣椒、花生炒在一塊兒的醬爆名菜，流傳廣遠，因丁寶楨死後被追封太子少保，所以這道菜後來冠以宮保雞丁之名，以紀念創始者。」無論太保、少保、太子太保、太子少保，多為虛銜，卻是朝中重臣才能享有的榮耀，後來，這些保字尾的宮銜，別稱「宮保」。「宮保」本是對皇帝老師的敬稱。

眼前的宅第門口掛著「宮保第」牌匾，可見它是某個清朝大臣的官宅。阿風師説，霧峰林家建築不同凡響，具有群落規模，群落之間，各自保有其不盡相同的歷史及美學意義。霧峰林宅分為頂厝、下厝和萊園三大系統。頂厝、下厝是從相對位置區分，頂厝在北而下厝

在南，房舍皆坐東向西，背山有靠，萊園則位於大宅邸的東南方。霧峰林家自第三代林甲寅的下一代開始分家，大房林定邦為下厝，二房林奠國為頂厝。大房所住的下厝建築處於龍邊，包括：草厝、宮保第、大花廳、二房厝、二十八間。頂厝建築包括：景薰樓、頤圃、蓉鏡齋、新厝。萊園可視為宅第的後花園，主體位於今明台高中校園裡，有五桂樓、飛觴醉月亭、林氏祖塋等。林家宅園建築陸續起造，歷經不同階段的擴展、改建，跨越清治、日治、民國多個時代，風格不定於一尊，是臺灣建築史的一段縮影。霧峰林宅號稱島內規模最大的傳統建築群，亦是僅存最完整的清代古宅聚落，建築學者李乾朗美讚為「臺灣傳統建築的百科全書」。建築群約有 11,000 平方公尺，從北到南面寬近 300 公尺，順著主建築外圍走一圈，約 1 公里。

下厝發跡較早，宮保第屬於下厝建築，是清朝一品武官福建陸路提督林文察一族的宅第，1858 年開始興建，縱深五進，面闊十一開間，氣勢恢弘。林家第五代族長林文察保鄉平亂，屢建奇功，先參與平定基隆小刀會之亂，後赴閩浙掃蕩太平天國，戰功彪炳，成為封疆大吏，1863 年返臺平定戴潮春之亂，再內渡助剿重燃的太平天國亂事，不幸戰死福建漳州萬松關，壯烈犧

牲，朝廷為獎恤其忠烈，追贈「太子少保」。

此乃宮保第宅名的由來。現今宮保第的規模，是由林文察之子林朝棟完成的，那是霧峰林家最鼎盛的時期。既為官宅，相傳民人不敢直呼宅名，後來便以宅第前的三棵榕樹代稱，老一輩霧峰鄉民口中的「三欉榕仔」指的就是霧峰林家。

頂厝族長林奠國，在戴潮春之亂時力保阿罩霧亦有軍功，頂厝家宅景薰樓的起造始於這個時期。頂厝在清治時期亦有人當官，林奠國三子林文欽 1893 年高中舉人，光耀門楣，景薰樓第一進掛起「文魁」匾，門樓外立起舉人旗桿，可惜 1895 年日人據臺，林文欽在仕途上未得發揮。據文史工作者謝仁芳描述，舉人旗桿於日治時期由林文欽之子林獻堂移至萊園。

三代民族英雄的宅第

霧峰林家的開山祖林石 1746 年自漳州渡海來臺，拓墾大里杙（今大里區）有成，基礎逐漸穩固之際，族人林爽文不滿官府而起兵謀反，大亂平定後，林石受到牽連，面臨抄家之禍，事業瓦解，子孫四散。遭難之時，長媳黃端娘鼓起堅強意志，攜兩子林瓊瑤、林甲寅移居

阿罩霧（今霧峰區），重新奮起，次子甲寅從小販幹起，憑著過人的生意頭腦經商致富，成為大地主。甲寅之孫、定邦之子林文察，在優渥環境中長大，得到充分栽培，被寄予將來出仕之期望。

霧峰林家人才輩出，文武兼備。林家文人，以頂厝的林獻堂最為人熟知。而說起霧峰林家下厝，在武功方面，最具指標性的人物便是林文察、林朝棟、林祖密這三位臺灣出身的將才，跨越三個世代，歷經清治、日治時期的風起雲湧，其事蹟，精采、震撼、悲愴，打動許多「說書人」，以各自擅長的形式敘說英雄的故事，說書人包括作家、史家、廣播人、文史和影視工作者，前仆後繼地投入相關文本的創發，近年最為人熟知的便是李崗監製、許明淳導演的紀錄片《阿罩霧風雲 1：抉擇》（2013 年）和《阿罩霧風雲 2：落子》（2015 年）。至於民間最會說林家故事的文史工作者，首推謝仁芳，他花費半生投注心力於林家開拓史之資料蒐羅，嫻熟大小掌故。而陳彥斌則以其獨特的說故事魅力，成為林家故事的重要推廣者。樹王文史工作室的負責人謝文賢，對於林家建築美學特別專精。大屯文化工作室的負責人郭双富，以文物收藏角度投入霧峰林家史料的整理，自成一格，詩人路寒袖美讚為「資料王」。學者型的說書人，

則有廖振富、黃富三、許雪姬、李毓嵐等鑽研霧峰林家研究。其他如張芳玲、彭永康等在解說導覽方面長期耕耘，頗受各方借重。

相信說書人們多會同意，缺了林文察、林朝棟、林祖密這三位英雄，霧峰林家的故事便失色了一半。林文察是一代名將，驍勇善戰，性格鮮明，從握領鄉勇的一介土豪，手刃殺父仇人，血債血還後到官府自首，戴罪平亂，獲得朝廷重用，一路竄升至福建陸路提督兼水師提督，為閩臺陸海軍最高長官。林文察之弟林文明為副將，和兄長一起出生入死，為二品武官，宮保第旁的二房厝亦稱將軍府，即林文明宅第。林文察戰死沙場後，留在臺灣的林文明繼任族長，卻遭人設計，冤死公堂。

林文察挾軍功帶領林家崛起，為百年臺灣世家的風起雲湧拉開序幕；其子林朝棟在清法戰爭時對抗法軍侵臺立下戰功，得以輔佐劉銘傳治臺，開山撫番，平定民亂，官至二品，促成臺灣樟腦業復興，順勢將家業發展至鼎盛；文察之孫、朝棟之子林祖密，清廷甲午戰敗割臺後不甘受日本殖民，傾資內渡助孫中山革命建國，曾任閩南軍司令，為陸軍少將。文察、朝棟、祖密，三代皆被視為民族英雄。

門前石獅圍罩鐵欄杆，古蹟活化之後透過導覽員解說便知石獅屬青石材質，身形昂挺，文飾雕刻細密。（王維初／攝影）

　　三代民族英雄的人生如戲如夢，每一位都可寫成一部史詩。作家鍾喬創作的歷史小說《阿罩霧將軍》（1998 年）寫的便是林文察的故事，寫他自移民世代的族群械鬥中撥亂而起，備受朝廷重用卻又浮沉於詭譎多變的官場鬥爭，陷入追索自身命運的迷宮。這迷宮，是個人的迷宮，也是家族的迷宮、時代的迷宮，清廷雖將臺灣納入政治、經濟、軍事的統轄領域，卻無法有效控制日益紛雜的移民勢力，遂採行收攏在地移民勢力以弭平反叛的策略，結局竟釀成被收攏勢力的悲劇，霧峰林家便是典型案例。

　　透過小說爬梳歷史，可以相對自由地去鋪展情節，在史實檔案的骨架裡填入栩栩如生的血肉，按鍾喬自己

霧峰林家宅第門口掛著「宮保第」牌匾，訴說它昔日的榮耀；如今林宅是臺灣僅存最完整的清代古宅聚落，仍持續散發光華。（霧峰林家宮保第園區／提供）

的話，讀者將能感受到「一對充斥著想像之風的翅膀擺動在歷史的蛛絲馬跡面前。」《阿罩霧將軍》這部小説，可以作為臺灣青少年認識臺灣移民史的啟蒙文本之一，可惜少年時的我隨母親探訪宮保第時，這部小説尚未寫成出版。只記得初臨宮保第，驚訝於門楣上的牌匾歷經風霜，牆柱門板皆斑駁，門前石獅圍罩鐵欄杆，車馬冷清，毫無想像中的大宅院光景。詢問附近居民，得知裡頭還住著幾戶人家，宅第未對外開放，一般遊客多在門前拍照留影後匆匆離去。

不得其門而入的我，渾然不知那時已有專業團隊進入林宅研究，醞釀著即將展開的古蹟修復，林家建築的歷史風華，或將重現。

修而復塌的百年古蹟

1984 年，素貞興慈會委託臺灣大學土木研究所都市計畫室（今臺大建築與城鄉研究所）進行宅第測繪，那是古蹟修復不可或缺的重要基礎工作。素貞興慈會的負責人為當時下厝的大老林正方（林文察曾孫），在研讀了德裔美籍學者麥斯基爾（Meskill）對霧峰林家的研究之後，被深深觸動，他一方面從更宏觀的視野思考祖先在臺灣近代史留下的足跡，另一方面決心排除萬難，推動古宅的維繫與新生。林正方首先想要修復的便是位於宮保第和二房厝（後稱將軍府）之間的大花廳，那是林家輝煌時期的象徵，卻年久失修，戲臺已垮，片瓦無存。透過層層轉介，他找上了學者王鴻楷、賴志彰組成團隊，匯集土木、建築、工程、歷史專業的各方好手，對整個宅園展開調查研究。測繪工作為其中關鍵，全臺各大學建築相關科系學生數十人前來，合力完成臺灣首次大規模古蹟測繪調查，此次調查中確認了大花廳的建築樣式。1988 年，調查研究成果出爐，以《霧峰林家建築圖集——頂厝篇》、《霧峰林家建築圖集——下厝篇》、《臺灣霧峰林家留真集》三大冊精裝出版物面世，至今仍為霧峰林家研究的聖經級參考書。至此，

重建的專業基礎大致齊備。

　　修復私人古蹟除了需要家族成員凝聚共識，也需要雄厚財力。終於等到了公部門的支持，下厝將以大花廳作為修復示範，頂厝則先修復景薰樓第一進（公媽廳），後來第二進也納入本階段重修範圍。1995年大花廳正式開工，此前此後，考證工作未能稍停，除了繼續蒐集老照片、採集耆老記憶，並數度赴大陸細察福州建築樣式。延攬修復匠師，監工，協調各方意見，古蹟修復有數不完的細節，軟體硬體都是龐大工程。

　　筆者第一次接觸霧峰林宅修復的故事，是來自1999年8月號的《大地》地理雜誌。該期雜誌推出林家專題，正值下厝大花廳完工之際，頗有慶賀與致敬之意。如今審度各方史料，那次的專題報導實是高水平製作，許多內容放在二十年後亦不過時。1999年夏天筆者剛考上政治大學社會學研究所，對鄉土文化萌生高度興趣，彼時亦確立作家職志，正尋覓書寫題材，剛好在臺北重慶南路書街巧遇架上的《大地》，封面斗大的字印著當期專題名稱「傳奇家族：霧峰林家」，喜出望外，當下興起一個強烈念頭：一定要儘快回鄉考察一番，之後寫一首關於老家的現代詩吧！萬萬想不到，詩尚未寫成，臺灣即發生九二一大地震，最大震度達七級，二千多人

1999 年 8 月號的《大地》
地理雜誌推出林家專題，
有慶賀下厝大花廳即將完
工之意。兩個月後，10 月
號的《大地》地理雜誌，
封面又是霧峰，主題卻是
地震。
（林德俊／攝影）

罹難，全倒加半倒的房屋超過十萬間，那是臺灣自二次
世界大戰後傷亡損失最大的自然災害。

　　震央在南投集集，距離霧峰約 27 公里，霧峰位於
車籠埔斷層帶東側，斷層離林家不過數百公尺。兩個
月後，1999 年 10 月號的《大地》地理雜誌，封面又
是霧峰，一幀照片：位在前省議會後方的萬佛寺，作
為地標的一尊藥師如來七丈金身大佛，跌坐在倒塌的
牌樓和碎裂的階梯上，該期主題當然是地震，其中一
篇特稿〈傳奇宅院遭浩劫：霧峰林宅能再起嗎？〉，執
筆者即修復林家建築的專業團隊領導人賴志彰。對照
兩個月前的盛大專題，令人不勝唏噓。哀鴻遍野的中
部災區，林家建築群毀敗不堪，無一角落倖免，包括

千辛萬苦重修起來的大花廳和景薰樓。1984 到 1999年，從參與霧峰林家調查研究到領導古蹟修復，16 年心血，一夜被夷為平地。

　　是否真的前功盡棄？雖說林家建築群無一倖免，但各處損壞程度卻有差別，強震帶給老宅殘酷的考驗，除了映現了林宅一帶地質結構不穩，同時也引導人們反思「循古法修古蹟」的執行方式，一味地堅持舊料、舊工法，或許已不合時宜。百年古厝歷經不同階段的修繕改建，有因樑柱新舊木材混雜造成耐重度不均而狼狽塌陷的，但也有大致完好的部分，譬如景薰樓門樓曾於日治中期改建，清走原有土埆，建材改以大量的大理石加強磚造來拼貼，以及景薰樓組群前落左右內護龍外牆，其有經日治中期改為豎磚砌築的「薄」牆，且側邊以方木框隔，景薰樓這兩部分的完好，原因是「自重減輕」。斷垣殘壁之中，不無收穫。這些收穫，是將來林宅再修復及其他古蹟修復的血淚教材。如何籌集足夠的財力、人力、物力，以及重新恢復各方的信心，後續的挑戰接踵而來 。〈傳奇宅院遭浩劫：霧峰林宅能再起嗎 ？〉特稿文末，賴志彰感嘆 ：「不知未來命運會如何，也不知還有沒有另外的 16 年。」他也提到了幾個得力助手陪他走過 16 年努力的最後 7 個年頭，其中一個名字

「孫崇傑」，是筆者日後回鄉從事文化工作重要的請益對象，他可説是新霧峰時代的風雲人物之一。

集眾之力的震後重生

歷時 16 年打造的大花廳因九二一地震全毀，總建築群亦毀七成以上。百廢待舉中，是否要修復，專家之間、族人之間，看法分歧。專家分為兩派，一是主張直接保留殘存古蹟，即所謂「遺跡保存」，另一是主張「重新修復」。有些原本住在裡面的族人一時無家可歸，如要修復，如何安置他們？不少人在震後對古蹟修復失去了信心，各方意見需要整合。

1999 年 10 月，內政部考慮解除其古蹟認定，監察院介入調查。原本是為準備營運管理修復後古蹟而設立的阿罩霧文化基金會，開始爭取社會各界支持，展開搶救霧峰林宅的聯署行動，同時進行古蹟現場清理工作。第二級古蹟霧峰林宅災後重建研討會（2000年）、櫟社成立百年紀念學術研討會暨櫟社史料展（2001 年），都代表著這方面的倡議努力。緊接著，情勢漸明，九二一重建委員會決議復建工程費用不足部份由九二一震災社區重建更新基金支應，啟動重建的資

金遂有了著落。

　　歷經數年的折衝協調，終於在 2004 年底，當時的臺中縣文化局陸續完成霧峰林宅頂厝景薰樓中落、頤圃以及下厝大花廳、二房厝、宮保第發包動工，正式進入復建期。2006 年至 2010 年間，頤圃、大花廳、二房厝、宮保第陸續完工。萊園重建的部分，相較於其他林宅建築組群，腳步較快。位於今明台高中校園裡的萊園，主事者為明台高中董事長林芳媖，作為頂厝林獻堂孫媳、林家後代遺孀，恢復往日榮光的使命感強烈，加上萊園古蹟產權集中，有心修復的主人可免去族人不同意見的紛擾。

　　萊園最初是林獻堂的父親林文欽 1893 年高中文舉人後，為娛養老母羅太夫人而整建的孝親園，以老萊子「彩衣娛親」的典故命名為萊園。利用天然地勢，將亭臺花園巧妙融入東側九九峰和西面萊園溪，依山傍水，因此萊園雖有精雕細琢之建築，卻無過度人工之匠氣。萊園建成之後兩年，臺灣割讓日本，林文欽選擇歸隱，將心血放在地方慈善與家族經營，萊園的建設於此時進一步完善，與新竹鄭用錫「北郭園」、板橋「林本源園邸」（林家花園）、臺南吳春貴「吳園」並稱臺灣四大名園。

霧繞罩峰 │ 阿罩霧的時光綠廊

萊園中代表性建築「五桂樓」，原名「步蟾閣」，其意為月光溶溶照著樓閣，亦有「蟾宮折桂」之典故，隱含科舉及第的企望。（陳冠閔／攝影）

園中代表性建築「五桂樓」，原名「步蟾閣」，其意為月光溶溶照著樓閣，亦有「蟾宮折桂」之典故，隱含科舉及第的企望。花園以步蟾閣為圓心向外擴大，步蟾閣為木造閩南式樓閣，屋身為羅太夫人起居空間，二樓陽臺為觀戲之所。根據林獻堂曾孫林承俊〈萊園興修史話〉，步蟾閣題匾落款在丁亥年，推估萊園在該年（1887年）之前便開始興建，1895年完成第一階段工程。第二代主人林獻堂在1905年之後再次改建，更名五桂樓。日治時期，五桂樓加入磚瓦水泥結構，紅磚白牆覆黑瓦，形成中西合璧的折衷樣式。正面觀之，上層廊外圍以原木花飾欄杆，斗栱歇山頂，古意盎然；下層弧拱磚牆，木構窗櫺，透出西洋氣息的典雅時尚。據聞五桂樓前曾植有五棵桂樹，象徵五位堂兄弟林紀堂、林烈堂、林獻堂、林澄堂、林階堂，「桂」與「貴」諧音，代表對此輩頂厝子嗣的期許。

　　五桂樓前有一人工池「小習池」，取名源自《世說新語》習郁在峴山南掘習池供名人雅士燕遊之典故。小習池中有一方形土臺「荔枝島」，因早期四角種植荔枝而得名。島上築有戲臺「飛觴醉月亭」，亭名來自李白〈春夜宴從弟桃花園序〉「飛羽觴而醉月」，羽觴為古代如雀鳥一般的酒器，此句形容酒過如飛、醉飲

月下的情景。早期飛觴醉月亭為私家戲臺，三面圍牆，採光明亮，正對著五桂樓，伶人演戲需乘小舟上島，1906 年始有木橋通行，1935 年改築水泥材質之「虹橋」。 羅太夫人過世後，林獻堂將戲臺改造為四面敞開的的亭臺，供文人雅士傾杯賦詩，四柱題有林獻堂之弟林階堂歌詠萊園的詩句 ：「月明池影一樓靜，風動梅花隔崦香；香飄丹荔風三面，綠蘸青池水一匳」。

1930 年代林獻堂環遊歐美歸國，對萊園進行大規模整建，引入新元素與新建材，整體景觀更為宏麗。春日朦朧煙雨中，清碧池水如明鏡一般映現著遠山近景，雨絲紛紛，撩起無限漣漪，如幻似真，此一景觀被稱為「萊園雨霽」，名列當時臺中十二勝景。

萊園在林獻堂主掌下發展為櫟社文人重要集會所，更因 1911 年梁啟超來訪下榻五桂樓而聲名遠播，梁啟超與櫟社成員吟詩唱和，為萊園十大美景題詩，留下萊園雜詠十二首。萊園十景分別是：木棉橋、擣衣澗、五桂樓、小習池、荔枝島、萬梅崦、望月峰、千步磴、夕佳亭、考槃軒。其中萬梅崦、望月峰、考槃軒，或因年久失修或因改建，已不復存在，吾人只能從詩句中懷想舊時了。

日治時期林獻堂族脈在知識啟蒙和社區營造多方著

日治時期，五桂樓加入磚
瓦水泥結構，紅磚白牆覆
黑瓦，形成中西合璧的折
衷樣式。
（明台高中／提供）

力，舉凡臺灣文化協會「夏季學校」（1924 年起）及
一新會（1932 年）、 一新義塾（1933 年）， 萊園都
是重要場所。1949 年林獻堂在現今中正路、萊園路口
的位置成立萊園中學，林獻堂任董事長，由長子林攀龍
出任校長，1976 年從原校區遷入萊園，1976 年更名為
明台家商，2001 年再更名為明台高中。

　　1976 年萊園中學遷入萊園之後，成為名副其實的
古蹟花園學校。1991 年林獻堂之孫林政光攜夫人林芳
媖接掌明台，除了革新校務，陸續增建南陽樓後棟、
允卿樓、灌園樓等現代教學大樓，亦大規模整修校園古
蹟，古蹟不但化為校園美景，更是師生戶外學習和展演
活動的「五星級」場域，全臺難有第二校能出其右。

霧繞罩峰｜阿罩霧的時光綠廊

上樓臺階是震後五桂樓僅
存的三面牆基之一，這棟
林家精神最重要象徵的建
築遲至 2011 年才竣工。
（陳冠閔／攝影）

萊園子弟善用祖上遺留，在古蹟活化和新舊交融的努力
上，踏出了非常早的一步。

萊園再起有如傳奇

　　九二一大地震後，明台校舍及萊園古蹟受到程度不
一之損傷。1999 年對新時代萊園的主人是非常坎坷的
一年，林政光在八月辭世，頓失夫婿的林芳媖沒有太多
時間沉浸在哀傷裡，林芳媖繼任董事長，以女性領導人
之姿一肩扛起校務後，九月馬上襲來大地震。林芳媖接
下來的行動使她成為林家傳奇女性系譜的一道新光。滿
目瘡痍中，有人提出另覓校址的建議。這是祖先起造的

風水地，也是古蹟花園學校的典範，她的心念十分清楚：一定要把它復原回來。林芳媖決定站出來精神喊話，召集全校師生，以無比堅毅的口氣宣示：「請大家相信我、支持我，我們要有信心，我一定帶領大家再站起來！」作為萊園史上第一位真正的女主人，她唯有身先士卒，走在前面，才能引導大家一鼓作氣合力把「家」復原起來。「萊園一家，互相扶助」的校訓具體成鋼，「互相扶助」由林獻堂當年成立一新會時所題，「萊園一家」則由萊園中學首任校長林攀龍所立，「萊園一家」大理石碑碣至今仍昂然於明台校園裡。

對林芳媖而言，「事在人為，危機就是轉機，更是契機」。校方以短短六個多月時間，完成了南陽樓校舍前後兩棟鋼構大樓、大操場和校園復原工程，創下災後臺灣學校最早完成自力重建的紀錄。其中，刻意仿景薰樓門樓的樣式重建學校大門，形塑校園新地標。此座高高舉起、復古而新的門樓，無疑象徵著主人恢復祖上風水、延續先賢風範的大決心。

校園重建之際，校園古蹟修復工作也同步開展，林芳媖為保證施工品質，選擇自行承擔經費，2000年首先整建荔枝島、飛觴醉月亭和小習池。小習池在震後地勢抬高，半邊見底乾涸；飛觴醉月亭則柱斷倒塌，荔枝

島裂損⋯⋯但很快的，隔年九月便修復完成。林芳媖
次子林承俊當年自淡江大學建築系畢業，在恩師李乾朗
指導下，參考自家留存的寶貴史料和專家團隊的測繪資
料，積極投入繪圖及施工規畫，林芳媖長子林承峰也自
美返臺監工。林芳媖親赴員林把老匠師請來，鎮日穿梭
工地，務求一磚一瓦原樣修復，此外，亭體雕樑彩繪，
還特別重現林家特有的「中部藍」——中部藍是林獻堂
為使屋體明亮而特別委託匠師調製出的藍色，沉穩之中
散發比傳統靛藍更外放的朝氣，接近發光的寶藍，此種
塗裝當年在中臺灣引來仿效，蔚為風尚。

萊園因建築與
文物繁多，重建工
程經緯萬端。所幸
在地震來襲之前，
明台便有意識地對
原有建築、文物資
料進行典藏，以利
於古蹟修復，這些
資料確實發揮了莫
大幫助。文化資產
的保存，不只側重

明台高中在九二一時校舍
受損，刻意仿景薰樓門樓
的樣式重建學校大門，形
塑校園新地標。
（王維初／攝影）

林氏祖塋修復匠師黃有洞
鑲嵌羅馬柱頭。
（明台高中／提供）

硬體，相關的文物和史料亦不能偏廢。2000 年底，林芳媖在校園裡成立「林獻堂文物館」，館內典藏了家族歷代傳家文物及個人珍貴骨董家飾，包括林獻堂墨寶、詩文、照片、個人事蹟紀錄，以及櫟社諸賢的書畫詩作等，內容豐富精緻，堪稱林家藏寶勝地，稱得上一座充滿特色的臺灣近代史文物館。

校舍和古蹟的復原陸續進行，風火輪一般，效率驚人，不但復原舊的，也起造新的——2001 年便在校門入口旁興建教學設備新穎的「政光科技大樓」。日後許多重大的鄉土文化盛會在此進行，包括重新開辦的「夏季學校」。

2004 年林氏祖塋的修復亦告落成。祖塋建在萊園

匠師林電一修復林氏祖塋
的瓦當和滴水。
（明台高中／提供）

山之向陽坡，線條優美的羅馬柱頭撐起歇山屋頂，飛
簷精巧華麗，剪黏色彩絢爛，拜亭左右有護持的石雕神
獸，肅穆莊重且威風凜凜。亭內供奉羅太夫人、林獻堂
夫婦和林階堂夫婦，墓旁牆壁有櫟社詩人的作品。此實
為一座壯觀而富人文氣質的古墓。

　　在林芳媖眼中屬於林家精神最重要象徵的五桂樓，
至 2011 年才竣工。震後五桂樓僅存三面牆基，包括樓
體基座、一面樓牆與上樓臺階，雖然修復施工規劃早在
2000 年便有所準備，卻因專家學者們在「遺跡保存」
和「重新修復」之間產生路線之爭而一再延宕，林芳媖
抱持著「不放棄便有機會」的態度，歷經十年不懈的奔
走協調，終於如願以償，遵照文資法恢復 1905 年之後

霧繞罩峰｜阿罩霧的時光綠廊

2006 年 9 月 7 日林獻堂
逝世五十周年追思典禮
在林氏祖塋前舉行。
（明台高中／提供）

夕佳亭原位於現在的操場中央，後遷至萊園山上，幽深靜美。
（王維初／攝影）

林獻堂修建時的風貌。修復過程倚仗多位技藝精湛的傳統匠師：木匠師賴麒麟，雕刻師曹仁生，水泥匠師施昆毅、傅秋吉，泥塑匠師林電一、林電二兄弟。材料堅持本土化，除了採用臺灣手工磚，還特地從日本買回臺灣阿里山的千年檜木，使得五桂樓完工後，小習池畔微風徐來，園中便瀰漫著令人身心舒暢的天然薰香。

2013 年，夕佳亭以臺灣千年檜木與水泥洗石子，按圖修復，令萊園得以尋回一處幽深靜美之角落。夕佳亭原本位於現在的操場中央，後來才遷到萊園山上，四周遍植花草，是欣賞夕陽、飽覽園景的好地方。震後新生之夕佳亭，增添「臺灣之友總會」會長黃崑虎轉送日本「育櫻會」所提供之河津櫻百株，使夕佳亭在櫻花襯

夕佳亭於震後以臺灣千年檜木與水泥洗石子按圖修復，地上還多了美麗的花磚。（王維初／攝影）

映下，更有一番脫俗韻味。

　　萊園之內景點眾多，其他角落和物件的修復、維護未曾稍止。萊園之外，景薰樓目前委由明台高中管理，景薰樓為頂厝系統的家宅，共有五進九開間，逐步起造、增建、翻新，樣式較之宮保第顯得更加活潑明艷，內有林獻堂故居，林芳媖善用手邊保存的珍貴文物，為已經修好的建築體布置展品，增添後人參訪價值。蓉鏡齋則為頂厝系統最早的建築，初始為第一代族長林奠國起居地，為草屋形式，後來成為林家子弟私塾和林獻堂的書房，是林家最富教育精神的場所之一，堪稱頂厝建築修復的最後一塊拼圖，2015 年產權所有者林芳媖取得文資局同意後，正式展開自力重建，聘任五桂樓修復

團隊，採購臺灣原生檜木作為建材，在 2018 年底修復完成。值此之際，經營有年的林獻堂文物館移至重新整修的政光科技大樓二樓，擴大轉型為「霧峰林家文物紀念館」，保留傳統目標，增加科技元素，年底正式揭牌，無論空間規模、展品內容、展場設計，皆更上一層樓。

古蹟修好了，如何讓寶貴文化資產發揮更大的價值和影響？這是「活化」的課題。由於萊園和明台校園高度交疊，校園裡的古蹟是觀光事業科和解說導覽社最優越的教學資源，學校師生當為古蹟文史最自然的推廣大使。不僅如此，校方除了利用萊園舉辦大型文化活動，更將私人古蹟無償開放給一般民眾登記入園參觀，如有機關團體提出申請，校方會派出專業人員提供解說服務。同屬明台高中管理的景薰樓，則開放文史團體申請參觀，一樣提供導覽服務。文化資產作為一種公共財，萊園主人以行動徹底落實，歷代萊園主人以各自不同的方式表現其社會公益性格，如此大度，本是萊園傳統。換個角度看，這無疑也是最有力的校園行銷。

古蹟活化的創新與扎根

2014 年，下厝宮保第及大花廳以「霧峰林家宮保

宮保第的第一進側邊文門神，一位手持石榴和酒壺，另一位手持牡丹和酒器，寓意「多子久福」、「富貴進爵」。（霧峰林家宮保第園區／提供）

第園區」之名對外開放參觀，由林家下厝族人組成林本堂股份有限公司營運。下厝古蹟修復後的活化，走的是另一條路——收費入園。下厝古蹟修復經費雖主要來自政府，但對外開放的營運仍需人力、資材的持續投入，使用者付費乃天經地義，讓古蹟自己養活自己，養成民眾的文化消費習慣，自是讓臺灣文化館舍的體質走向正常化的必經之路。

前一階段的修復協調，主要由下厝管理委員會總幹事林義峻代表出面。修復之後，林本堂股份有限公司成為宮保第園區的主要營運單位，由林正方之子林俊明出任總經理。林俊明從古蹟彩繪開始參與，2013年底臺中市政府委託國立臺南藝術大學博物館學與古物維護研究所的團隊，進行宮保第彩繪修復工程，為期三年。仿照許多歐洲教堂壁畫修復手法，先對受損彩繪作品進行科學研究，刮下細微局部進行取樣分析，確認其材質及工法，去除後來加上的不當保護漆，還原其本色後，真跡之上覆蓋一層隔離漆，再慢慢把顏色畫回來，此為「全色」，全色後再上一層保護漆。未來全色層若風化受損，底下的真跡層會依然完好，屆時只需就全色層再行重繪。此種可逆式工法，成為木製古蹟的國際範例。匠師以原作使用的礦物桐油漆來恢復舊貌，將不同顏色的石頭磨成粉後混和天然桐油作為顏料，此種顏料耐得住漫長歲月淘洗。光是一片門神，一個修復師大概要花上一年又兩個月修復，雖曠日廢時，但慢工出細活，急不得也。

　　宮保第園區正式開放後，令文化界人士大為振奮，這部「臺灣傳統建築的百科全書」，終於要打開給眾人翻閱了，只要買張門票，誰都有機會走進來讀它。營

運單位為了回饋鄉里，十分豪氣地讓霧峰人免費入園，只要戶籍地設在此，身分證便是通行證，其用心所在，無非是盼著在地居民把霧峰林家當成自家的驕傲，果然，宮保第園區承擔起地方文化觀光的火車頭，遊客來到霧峰，不到宮保第走一趟便虛了此行。

　來客進到宮保第，究竟可以讀到什麼？古蹟的精妙或許不是人人都可領略，園區組建了一批專業而富有熱情的解說團隊擔任說書人，以寓教於樂的方式提供深入淺出的導覽。對林俊明而言，林家傳統建築的形式包覆著「優雅漢學」。每個裝飾都有意涵，傳遞正向能量，祝福住在裡面的人，也祝福來訪的客人——其圖必有意，其意必吉祥。宮保第的第一進側邊文門神，一位手持石榴和酒壺，石榴寓意為多子多孫，酒壺諧音久福，合為「多子久福」；另一位門神手持牡丹和酒器，牡丹寓意為花開富貴，古代酒器為爵，在此暗示加官晉爵，合為「富貴進爵」。門窗雕刻五隻蝙蝠，象徵「五福臨門」。樑柱上的鰲魚和麒麟各有寓意，鰲魚為龍頭魚身之神獸，能吞火吐水，放在傳統木建築裡，期能鎮制火患，消災祈福；此外，科舉時代進士中狀元後，立於鰲頭之上接榜，是為獨占鰲頭。麒麟為一品武官之配飾，代表林文察，瞻前顧

鰲魚為龍頭魚身之神獸，有消災祈福和獨占鰲頭之意。（霧峰林家宮保第園區／提供）

後的造型隱含著凡事皆能三思而行；古代有麒麟送子之說，林家以此祝福貴客，送子迎賓。

　　林家喜慶宴客之大花廳，擁有全臺唯一碩果僅存的福州式戲臺，富麗堂皇，由林朝棟一手建造，是林家鼎盛時期的象徵。戲臺之八角藻井，一朵牡丹雕花開得細緻而大器，燦爛迷人，兼有花開富貴之寓意；戲臺下的桃眼獅，前額亦有牡丹，一樣寓有花開富貴之意；一雙眼如一對桃子，桃眼招來好人緣；嘴上蓮花，來自舌燦蓮花之典故，好口才，說好話；下巴造型彷若中國傳統工藝品「如意」（爪杖），祝福大家事事如意。來到林家，一路接受祝福，訪客多能帶著好心情回家。除了歷史故事，林家每一幢建築都是一本讀不完的建築工藝

麒麟為一品武官之配飾，隱含三思而行，亦借麒麟送子之說祝福貴客，送子迎賓。（霧峰林家宮保第園區／提供）

之書，細節中還有細節，如詩如畫，尤其宮保第後落居室環繞著花樣繁多、巧妙變化的支摘窗，構圖典雅，總令美的信徒徘徊良久。

　　作為宮保第的鄰居，筆者感到無比幸運，得以三不五時進去走它一回。除了服務鄉民，宮保第更希望發揮繼往開來的文化影響，園區全年無休，使出渾身解數推陳出新，創造不一樣的古蹟體驗：大花廳上演光雕秀、崑劇之外的抓周趣、布袋戲偶外拍、密室闖關遊戲、穿古裝提燈籠鬧元宵……種種融舊鑄新的努力，讓古蹟確確實實活進一個新的時代。活動範圍跨到古蹟門外，譬如三欉榕仔文化講座，把在地文史工作者和作家邀請到宮保第前庭的榕樹下開講，與報名而來或經過駐足的群

林家喜慶宴客之
大花廳，擁有全
臺唯一碩果僅存
的福州式戲臺，
富麗堂皇，由林
朝棟一手建造，
是林家鼎盛時期
的象徵。
（陳冠閔／攝影）

戲臺之八角藻井，
一朵牡丹雕花開
得細緻而大器，
燦爛迷人，兼有
花開富貴之寓意。
（霧峰林家宮保
第園區／提供）

大花廳戲臺的桃眼獅。
（霧峰林家宮保第園區
／提供）

眾對話，這種飛入尋常百姓家的活動精神，使得經營林
家古蹟的作法超越了經營一個臺灣民間傳統建築博物館
的思維，而更貼近公民大學及社區文化場域的營造。

　　無論頂厝或下厝，其新時代的努力傳承了林家先賢
勇於開拓、利益公眾的精神，這樣的精神落實為行動，
有助於地方城鎮的轉型試驗，其成果將持續對全臺灣帶
來重要的啟發。

霧繞罩峰│阿罩霧的時光綠廊

宮保第希望發揮繼往開來的文
化影響，種種融舊鑄新的努力，
讓古蹟確確實實活進一個新的
時代。（霧峰林家宮保第園區
／提供）

第二章 Chapter 2

走在時代前端的教育基地

當年省教育廳坐落於此，為霧峰挹注了非同一般的
教育資源。除了霧峰國小作為全省鄉村示範校，省
府眷舍光復新村旁的復興國小更是走在臺灣教育體
制發展最前端。

從蘭生慈善會到蘭生仁愛之家，
再到當今的林蘭生慈善基金會，
此一民間社福組織幾經改制，濟
弱扶傾的性格始終不變，此棟新
落成的溫煦建築擁有「黃金歲月
學苑」美名，將延續霧峰林家的
文教精神服務在地居民。
（熊與貓咖啡書房／提供，鄧惠
　　恩／攝影）

蘭生街以霧峰林家頂厝厝林紀堂的第五子林蘭生命名，街上坐落著一家獨立書店「熊與貓咖啡書房」，經營團隊積極從事在地文藝復興和友善土地的社區行動，2015 年曾舉辦「氣質蘭生」社區文藝季，並以「熊愛讀冊」漂書行動展開在地文化節點的串連。書房現階段正與大屯社區大學等單位合作，營造學創場域，培力各種文化服務人才。
（熊與貓咖啡書房／提供，柯乃文／攝影）

阿風師曾說：你若站在霧峰街頭，大喊一聲「林老師」，可能會有不少人一起回頭，因為這裡姓林的多，當老師的也多。阿風師雖然語帶詼諧，誇飾成分不少，但仔細想想，我所住的蘭生街上，霧峰林家族人不少，我也尊稱幾位長輩為「林老師」。

氣質蘭生的文教街區

　　短短三分鐘便能走完的一條蘭生街，以霧峰林家頂厝林紀堂的第五子林蘭生命名，有些故事可以追尋。林蘭生少年早逝，1934 年其母林許悅將其應得財產捐出一半創立蘭生慈善會，由林獻堂任監事，後由林紀堂四子林鶴年發展為蘭生仁愛之家，設有育幼院收容弱勢孩童。林鶴年過世後蘭生仁愛之家漸漸沒落，加上九二一震災等因素，中斷社會公益事業，荒成一片雜草叢生的廢墟。林鶴年曾任臺中縣三屆縣長（第一、三、五屆），留學日本，精於音樂，為臺中縣歌及臺中市歌的作曲人，被封為「音樂縣長」。有地方人士不忍見蘭生仁愛之家長期閒置，遂建議改造為林鶴年音樂紀念館，與附近的國立臺灣交響樂團連成一氣，彼此呼應，

帶動地方繁榮。

　　透過正史及野史的爬梳回首往事，唏噓之中翹首，如今已迎來希望之光。這條彎月型小路上的建物在九二一地震時毀損大半，原住戶組成三個社區都市更新會，兄弟爬山各自努力，2004 年重建為三棟風格呼應的集合住宅，當時的霧峰國小校長林淑瓊扮演更新會的重要領頭羊。多年後同一條街上的蘭生仁愛之家亦展開重建，2013 年動土，此階段，該組織已變革為林蘭生慈善基金會，當時的基金會董事長即為明台高中董事長林芳媖，新建築名為林蘭生黃金歲月學苑，2017 年落成啟用。正門朝向在地人稱「外環道」的林森路，新建築巍峨立面的招牌掛上「林蘭生慈善基金會」幾個大

1957 年蘭生慈善會改組為蘭生救濟院，圖為救濟院附設縫紉班開學典禮紀念照。（郭双富／提供）

字，後門開向蘭生街，暖陽般的柔美磚紅和米白洗石子相互映襯，溫煦地融入這條霧峰最適居的靜謐之道。雖然音樂紀念館的建議未能落實，但重建為黃金歲月學苑是回歸早年的社福本位，林蘭生慈善基金會以弱勢服務為經營主軸，秉持先輩精神，濟弱扶傾不分男女老幼，也開辦各種課程廣邀一般民眾參加，教育性格強烈。

　　位在前省議會對面的蘭生街，住戶中公、教人員佔了高比例，除了林老師，筆者也常喊黃老師、張老師……這是霧峰「蛋黃區」的縮影，霧峰最熱鬧的精華區，泛指霧峰農工至省議會這一段的中正路，即鄉民口中的「霧峰街」，由北往南走（朝南投方向），往左延伸至霧峰菜市場（霧峰公有零售市場）、霧峰林家古宅群、區公所等政府機構，往右開展向農會所在的四德路及霧峰重要飲食商圈樹仁路。霧峰街及其周邊，是居民商業、休閒活動的集散地，也是文化資產及教育機構密集之處。

　　在省政府實質運作時期，霧峰曾是教育廳辦公之處

省議會是得天獨厚的環境教育場所，常有生態研習者來此觀察獵影。
（韋瑋／攝影）

【上】
【中】
【下】
霧峰公有零售市場規模不小，
每逢假日必湧現人潮，堪稱
臺中城南最有人氣的傳統菜
市場。市場裡蟄伏著不少老
味道，埋藏許多舊省府公教
人員半輩子的飲食記憶。
（熊與貓咖啡書房／提供，
　鄧惠恩／攝影）

（1956年開始），後來因省政府功能業務與組織調整，即1998年的「精省」，相關機構於1999年改隸教育部中部辦公室，2013年再整併為教育部國民及學前教育署。由此觀之，數十年來霧峰可謂臺灣教育人才的搖籃。如今，多個重量級教育單位星羅棋布，包括國家級的臺灣音樂教育文化園區（以國臺交為核心）及九二一

臺灣省議會紀念園區為臺灣第一座由國人自行設計建造的亞熱帶植物園林，被推崇具「樹種博物館」價值。（王維初／攝影）

省議會樹木分布圖

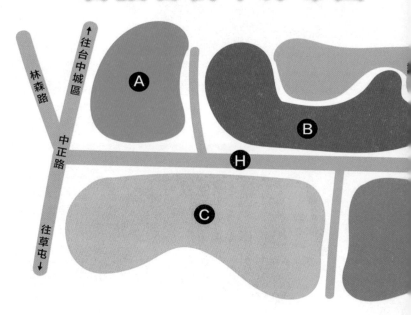

▶ 觀樹心法

遇見一棵樹，別輕易地走過，請停下腳步，根、莖、葉、花、果、枝、幹和樹皮，都有可觀之處，慢慢欣賞，聞其氣味，觸其紋理，拍照，筆記，撿拾落花、落果、落葉，創作再生藝術，給它一個特別的名字。傳說樹木有靈，虔誠對祂，祂便會護佑我們。如果你懂得觀察樹，祂會告訴你許多小秘密⋯⋯

▶ 靈感練習－跟樹木說話

樹是我們生活的一部分，帶來美麗的風景。如果樹是一個人，會是大人或小孩、先生或小姐？請選一棵生活中遇見的樹，像朋友一般，跟他或她說說話，可以發出欣賞之語，致敬或致謝，也可以好奇發問，或者，跟他或她分享你對於樹木所在地的觀感和印象。

基地位於省議會對面的熊與貓咖啡書房，結合鄰近的霧峰國小師生、家長及在地動、植物專家，合力完成「熊愛森林省議會樹木地圖」鄉土教材，應用於多樣化的生態導覽活動。本圖僅摘錄教材局部。（熊與貓咖啡書房／提供）

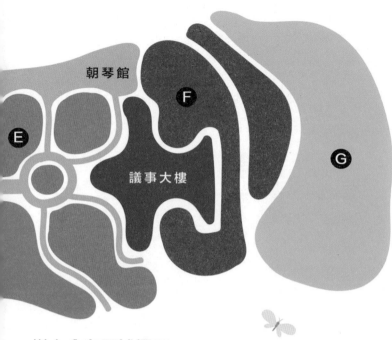

朝琴館

F

E

議事大樓

G

▶ 樹木分布區域標示

- Ⓐ 平地區：毛柿、台灣欒樹、茄苳、樟樹。
- Ⓑ 淺山區：桃花心木、楓香、台灣櫸。
- Ⓒ 濱海植物區：海檬果、黃槿。
- Ⓓ 湖泊濕地區：台灣海棗。
- Ⓔ 丘陵區：光臘樹
- Ⓕ **針葉樹種區：南洋杉**
- Ⓖ 後山造林區：柚木、黑板樹、檸檬桉。
- Ⓗ 軸線行道樹區：大王椰子。

位在亞洲大學行政大樓的亞大圖
書館，為「熊愛讀冊在地漂書行
動」的基地之一，此項行動最早
和熊與貓咖啡書房共同發起，在
霧峰設立了超過二十個漂書點，
設置範圍跨到校園之外的社區空
間，具體落實「大學城」精神。
（熊與貓咖啡書房／提供，
　鄧惠恩／攝影）

霧繞罩峰 | 阿罩霧的時光綠廊

地震教育園區，以及被視為民主教育絕佳場域且被推崇具「樹種博物館」價值的臺灣省議會紀念園區。

此外，小小一個霧峰區，人口未達七萬，卻有兩所大學（亞洲大學、朝陽科技大學）坐落在此，若把在霧峰設有農業試驗場的中興大學計入，霧峰境內實有三所大學，尤其，亞大和朝陽兩所，將「霧峰學」列入通識課程，以亞大廖淑娟和朝陽陳茂祥為首的教師群領著學生探索地方、服務社區，鄉土便是學習的沃土，校園藩籬不再界線分明 ，「大學城」的概念具體落實於此。

熱愛辦學的霧峰林家

再往前回溯，霧峰林家興辦學校並從事社會教育，傳統深厚。霧峰林家族人參與興辦的學校，包括臺中一中（原臺中中學校）、 新民高中（原臺中商業專修學校）、 延平中學（原延平學院）， 以及校址就在霧峰的明台高中（原萊園中學）。 明台高中由林家後代經營，且校園就是林家花園所在，校園內各大樓皆以林家重要族人的字號命名，包括紀念林文欽的允卿樓、林獻堂的灌園樓、林攀龍的南陽樓、林猶龍的猶龍樓、林政

光的政光樓，此舉當有追隨先賢腳跡的自我期許，盼將往日榮光延續下去。

日治時期以林獻堂為首的林家族人希望為臺灣子弟爭取更多受教育的機會，希冀突破總督府的愚民政策和教育歧視，興學是最直接的辦法。1914 年林獻堂和兩位堂兄林紀堂、林烈堂以及辜顯榮等仕紳合力捐款籌建供本島學生就讀的「臺灣公立臺中中學校」，開啟臺灣人中等教育的大門，開闊了臺人升學管道。此次興學動員全臺富豪之力，是利益公眾的理念聚合，為菁英圈的「群眾募資」，雖在辦學過程中歷經重重險阻，仍培育出許多臺籍菁英。

1921 年臺灣文化協會成立，由林獻堂擔任總理，與蔣渭水等人推動臺灣文化啟蒙運動，並領導臺灣議會設置請願運動——爭取設置臺灣議會以牽制臺灣總督府的施政。文化協會以「助長臺灣文化之發達」為目標，發行會報、開設讀報社，舉辦講習會、電影放映會、文化演劇等活動，促進民族意識的覺醒。文協自 1924 年起，連續三年暑假在霧峰林家萊園開辦「夏季學校」，號召臺灣留學生返臺傳布近代知識以提升臺人文化水平。課程內容遍及科學、經濟、哲學、宗教、

在一新會帶動下，引入西潮，1934年霧峰有了管絃樂協會。照片前排中間為林以義，林以義為日本僑領林以文的胞兄。林以文於1965年捐資給家鄉霧峰興建圖書館，為臺灣第一個鄉立圖書館，此即「霧峰以文圖書館」的由來，如今圖書館改制為臺中市立圖書館霧峰以文分館，館名仍保留「以文」二字。

（郭双富／提供）

法律、社會、新聞、歷史、心理等學門，講師皆為一時之選，有林茂生、連雅堂、陳炘、林幼春、蔡培火等。學生來自全臺各地，仍以中部為主，尤其對霧峰當地智識的啟迪功不可沒。夏季學校隨著1927年文協分裂而中斷，雖然僅僅運行三年，累積參與人數不算很多，但在殖民政府百般刁難之下，臺灣菁英果敢帶領臺灣民眾迎接世界思潮，實具有劃時代的象徵意義。夏季學校在2001年由吳三連臺灣史料基金會復辦，承繼先人精神，而著重於臺灣文化史議題的研習，希望藉由臺灣文化發展的研探，形塑建構臺灣主體文化。復辦後的夏季學校，依舊選定萊園為主要活動場地，年年舉行，至今未

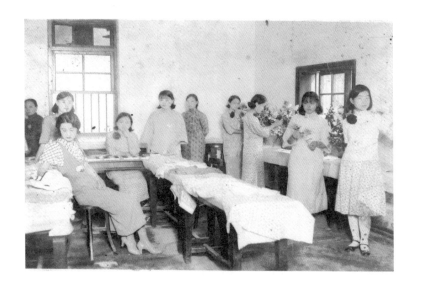

霧峰一新會會館學員布置
情形，有插花藝術、裁縫
作品等。前坐者為林獻堂
次子林猶龍之妻藤井愛
子。

（郭双富／提供）

曾間斷。

　　當年夏季學校的受挫並未動搖林獻堂耕耘教育事業
的意志，1932 年，林獻堂自歐洲留學歸國的長子林攀
龍欲組織一個提升一般民眾智識水平的團體，將霧峰打
造成臺灣的模範鄉，遂提議創立霧峰「一新會」，由
林獻堂主持。3 月 19 日，一新會成立大會於霧峰革新
青年會館舉行，該會館現址即霧峰菜市場。同時，改建
位於霧峰一九七番地的林梅堂家屋作為一新會會館，現
址為景薰樓對面的全聯福利中心。一新會設立之目的在
「促進霧峰庄內之文化而廣布清新之氣於外，使漸即自
治之精神，以期新臺灣文化之建設。」會內設置八個部

門推動各項活動，至 1937 年結束前累積成員達 500 人左右。

其中，「一新義塾」可說是臺灣近代區域暨鄉土教育之濫觴，令人聯想到當今全臺各地耕耘庶民教育的社區大學。林攀龍審度社會時勢，認為必須自基層農村建設起，而教育農村得成立學校，「一新義塾」遂於 1933 年應運而生。義塾之重點在指導鄉民學習漢語以保存漢文化，同時亦教授日文，學員中女性占有相當比例，林獻堂親自為義塾女學生授課、複習並批改作業，鼓勵口頭發表讀書報告，表現佳者安排於「日曜講座」演說。根據學者李毓嵐的記載，日曜講座的女性講者過半，這在當時保守的臺灣是極不尋常的現象。李毓嵐回顧一新會的歷史後指出：早在 1930 年代初期，霧峰女性便已走出家門，參與演講、運動會等活動，與現今臺灣各地投入社區總體營造工作的女性相較，實不遑多讓。

日治時期的霧峰，有匯聚全臺好學民眾的文化研習營「夏季學校」，也有扎根於鄉土的「一新會」，確確實實扮演著臺灣文化啟蒙的教育基地。而有了一新義塾的基礎，也才有日後萊園中學的成立，萊園中學即明

一新會會館由林梅堂家屋改
建而來，現址為景薰樓對面
的全聯福利中心。
（王維初／攝影）

台高中的前身。

　　戰後林獻堂爭取設立臺中縣立霧峰初級中學，以原
一新會館為教室，由林攀龍執掌校務。1949 年，林獻
堂籌設私立萊園高中，初期利用萊園部分建築為校舍。
後來商得教育局同意將霧峰初中讓與萊園高中經營，兩
校合併，霧峰初中於是改制為萊園中學，並選定林家宅
邸西邊靠大馬路（中正路）之地興建正式校舍。彭永康
曾在〈霧峰林家教育簡史〉提及，當時教育廳認為以霧
峰一地有初中又有高中，為求集中教育資源，故將臺中
縣立霧峰初級中學併入私立萊園中學，將公立學校併入
私校，為臺灣教育史上之特例。

霧峰國小起源於林家書房

現今除了明台高中，離霧峰林宅不遠的一所學校「霧峰國小」與林家也有深厚淵源，這一點，連很多在地人都不清楚，霧小的前身乃日治時期的公學校，起源於林家的舊書房。「公學校」時期，校內幾乎都是日本老師，但有別於日本小孩念的「小學校」，公學校的學生皆為漢人。1898 年，在地方仕紳積極推動下，殖民政府於林獻堂父親林允卿（光緒 19 年舉人）位在萊園的私塾成立「阿罩霧公學校」，舊址即今明台高中操場司令臺左側，現立著「萊園一家」石之處。霧小歷經兩次遷徙，從霧峰林家書房開始，再到目前區公所位置，最後到中正路上省議會旁現址，所有校地皆由霧峰林家先祖們慨然奉獻，連學校校歌也是由霧峰林家的林獻堂與林鶴年所作。

臺中市目前僅有七所小學超過 120 歲，霧小為其一。兩甲子以來，校名更迭，校制變革，校舍遷移、擴展……這真是個有太多故事可說的學校。1920 年，新校舍落成於現今區公所附近。1956 年，省教育廳大廈在霧小校地興建落成並遷入辦公，為霧小校史的重要插

（霧峰國小／提供、蔡杏元／繪製）

曲。據老校友張蒼坤回憶，省教育廳遷來（今霧峰長青學苑位址）之前，該地有一座神社，常見日本人前來祭拜，神社在光復後荒廢，教育廳遷來後便將其拆除了。

有相當規模的霧小，各項建設持續不斷，1961 年，省議會右側新校舍破土；1964 年起，學生陸續遷入新校舍上課，這已是霧小第二次遷移校址。當年的新校舍由建築師修澤蘭（1925 ～ 2016 年）設計，她如今被尊為「臺灣第一女建築師」，在建築史上擁有崇高地位，是臺灣表現主義建築的代表人物，最為人熟知的作品為陽明山中山樓，其他代表作則以校園建築為主。在設計霧峰國小時，修澤蘭提出了「形隨機能而生」的觀念，利用簡單的材料和構造，創造豐富的空間層次。霧小的

修澤蘭設計的霧峰國小校園，科學館狀似飛碟。
（霧峰國小／提供）

霧繞罩峰│阿罩霧的時光綠廊

新學校擁有六角形的音樂教室、開闊如蝴蝶擺翅的弧形校門及飛碟一般的科學館，還有與滑梯並列的氣象觀測站，學生上去觀測氣象時，可以順便溜滑梯下來。建築造型活潑，用色也十分躍動，為那個氛圍相對保守的年代注入盎然生機。除了鏤空的白色圍牆，校舍是紅色，學校前後門及每一間教室前後門顏色都不同，課桌椅則是淡灰色桌體、粉紅滾白邊之桌面，十分摩登。當時有人形容霧小就像迪士尼樂園。可惜，多數校舍在 1999 年九二一大地震毀損，只有飛碟狀的科學館挺過天搖地動，後改為校史館。在慈濟基金會集資援建及教職員共同努力之下，校園重建啟動；2000 年 10 月開工，到了 2001 年 10 月，全校學生終於遷入新建校舍上課。

科學館建築挺過九二一天搖地動，後改為校史館。
（王維初／攝影）

震前霧峰國小校園有一座與滑梯並列的氣象觀測站，學生上去觀測氣象時，可以順便溜滑梯下來。（霧峰國小／提供）

英年早逝的已故校友江凌青（1983～2015年）在散文〈美哉！霧峰〉裡懷想的校園便是修澤蘭所設計的校園：

不知霧峰國小的音樂教室有改變嗎？每逢周六，我們在那裡練吸氣吐氣，但大半的時間我都分神，看著窗外的羊蹄甲。周末陽光慵懶地在六角形的教室飄遊，偶爾教唆櫥櫃裡的某隻薩克斯風熠熠發光，鐵鏽味的疤痕也亢奮地想要歡唱。

何友峰建築師事務所執行慈濟基金會主導的校園重建後，六角形的音樂教室已經不在，童年的場景被收進江凌青青春的筆下。她在同一篇文章繼續寫道：「一直不相信我可以長大，以為時間會為我的童年躊躇，考

慮一下要不要停止茁壯。」寫作此文的時候江凌青想必難以預見——時間拉著她長大，活過了青春，結了婚，取得英國萊斯特大學美術與電影史博士學位歸國，服務於中興大學人文社會科學研究中心擔任研究員，大好前程正要展開，卻在三十出頭的而立之年，因心房中膈缺損，腦血管狹窄硬化導致腦幹阻塞缺氧，於睡夢中安詳過世。120 周年校慶前夕，霧小特別為這位傑出校友辦了一個月的展覽，展出其文學、美術作品和生平故事。

霧小的傑出校友如果列隊走紅毯，絕對星光熠熠。在美術方面，臺灣知名陶藝大師蔡榮祐的星度最高，農家出身的他，奮鬥學藝的故事本身便是傳奇，他於霧峰在地創作，1978 年成立廣達藝苑，耕耘 40 年，如今已是一代宗師。他曾在受訪中提及，其「美的覺醒」自小便開始了——當年故宮文物來臺時先典藏於霧峰北溝，他在念霧峰國小時，同班同學中有三位的爸爸都是故宮專家，包括玉器專家那志良、陶瓷專家譚旦冏，他在同學家裡看到一般農村難得一見的畫與陶瓷，雖非故宮國寶，但畢竟是行家收藏的精品，因此留下深刻印象。

由於霧小 100 周年校慶時所建立的紀念銅雕「融」在重建工程中遺失，到了 120 周年校慶，校方希望重新樹立

廖振富 2017 年特地重返母校四德國小，漫步在雨中校園，發現老舊的平房教室全都改建成巍峨高樓。倏地放晴後，主人翁綻開笑容，留下動人之一瞬。四德國小之前身最早為霧小前身（阿罩霧公學校）的吳厝分離教室。（王維初／攝影）

一個里程碑，遂邀請第十二屆校友蔡榮祐將其代表作之一「親情」授權霧小翻模放大，置於校園展示，這件 120 周年校慶紀念雕塑，成了學校推行美感教育的象徵。

　　120 周年校慶活動的策辦火車頭是長年熱衷於環境教育的陳榮錦。2016 年，曾在霧小擔任老師的陳榮錦回到霧小走馬上任，接下第十七任霧峰國小校長，透過該校家長暨生態園藝專家游南軒的引介，筆者和霧小展開了閱讀教育和環境教育多方面的合作，陳校長一上任便迎來翌年霧小 120 周年校慶的籌備任務。隨著校慶時日愈來愈接近，霧小校慶也成了親朋好友掛在嘴上的話題，這才得知母親的家族裡有好幾位霧小校友，包括母

親自己，對筆者而言，彷彿因此找到了一條和霧小牽繫的線，霧小是筆者的另類「母校」——母親的學校。

霧小也是霧峰當代重要文人廖振富的「母校」——他母親的學校。他曾在〈從阿罩霧出發〉提及：「母親公學校五年級時，因盟軍激烈空襲而中斷學業。二戰結束，成為『霧峰國校』戰後第一屆畢業生。父親則早他一年畢業，是『霧峰公學校』的末代畢業生。」1941年霧小從霧峰公學校改名為霧峰國校，廖振富的父母一前一後畢業，畢業證書上的校名卻有差異，此為廖振富家族史的有趣印記。廖振富自己則畢業於霧峰四德國小，這個小學，與他父母親畢業的小學有著臍帶相連的微妙關係，四德國小之前身最早為霧小前身（阿罩霧公學校）的吳厝分離教室。

初等教育的家族校系現象

其實，霧小也是霧峰好幾所在地小學的「母校」，研讀教育學者葉憲峻〈霧峰地區初等教育機構創設模式之探討〉，發現了「霧小家族」現象：霧峰地區十一所初等教育機構中，七所國民小學可歸類為霧

霧小家族

霧峰地區的初等教育機構，自日治時期開始發展後，主要以首創之霧峰國小為中心，經由霧峰國小設置分離教室、分教場，而另外發展出兩所初等教育機構（吳厝及萬斗六國民學校）；二次世界戰後霧峰國小及其所發展出來的另兩所小學，又再各自設置分校，而後分校再獨立設校。至 1962 年時，已發展成七所霧峰國小家族校系之學校。此一經由設置分校，再於分校獨立設校後，又設置分校之創設模式，雖然是日治時期至戰後，臺灣初等教育機構之發展方式，但在霧峰地區卻表現特別明顯，呈現「霧峰國小家族校系」關係。（文／葉憲峻）

貓頭鷹車站廣播

失眠的乘客
請聆聽我深情的哀鳴
我將告訴你
藏在森林裡的小秘密

憂傷的乘客
請閱讀我閃動的眼睛
我將送給你
二百七十度旋轉的星空

迷路的乘客
請踏上我斑斕的羽翼
我將帶你尋回
一座百花作夢的家園

作者　小熊老師

霧峰國小校門旁的候車亭化身貓頭鷹漂書站，成一生活美學角落，服務對象從校內師生擴及社區居民及遊客，入夜點燈後更顯迷人。（韋瑋／攝影）

居住在蘭生街的畫家魏瑋廷以寶石藍油彩畫出沉浸在夢境裡的霧峰國小校史館（2017年）。魏瑋廷近年帶領一群在地青年畫家展開「霧峰拾景」創作，並以此主題開設畫展。
（熊與貓咖啡書房／提供）

峰國小之家族校系，分為霧峰本系、萬斗六支系、吳厝支系。上述兩支系乃於 1938、1939 年由霧峰公學校之兩所分校，相繼發展成今之五所國民小學。萬斗六支系發展出萬豐、峰谷兩所國民小學。

吳厝支系發展成四德、光正、五福三所國民小學。而霧峰本系亦有衍生：霧峰國民學校本身於國民政府遷臺後，再於 1950 年設立「桐林分班」，該分班兩年後升級為「桐林分校」，至 1960 年該分校已增為六班，乃獨立

設校為「桐林國民學校」，即今之「桐林國民小學」。

根據葉憲峻的研究，1956 年後臺灣省政府教育廳、
衛生處等單位南遷至霧峰地區，霧峰地位提升，初等教
育機構改由政府直接設校，因此 1960 年以後霧峰國小
不再設立分校，中止了霧峰國小家族校系之繁衍。

2014 年底筆者回到霧峰家鄉從事社區營造，特別
關注學校和社區的關係，因為學校裡有社區的孩子，若
學校注重鄉土教育，有機會透過孩子影響家長，正視自

九二一震前的霧峰國小校
舍，看得出建築師修澤蘭
的鮮明用彩。
６０（霧峰國小／提供）

霧峰國小家族校系衍生圖

1939
吳厝公學校

1919
吳厝
分離教室

1941
吳厝國民

1922 吳厝分教場

1941 霧峰國民學校

1898
阿罩霧公學校
霧峰公學校

1945
霧峰國民學校

1915
萬斗六分離教室

1938
萬斗六公學校

1922
萬斗六分教場

1941
萬斗六國民

1941
峰谷分離教室

1947
四德
國民學校

1957 五福分班
1961 五福分校
1968 五福國民小學

1962
五福國民學校

1968 四德國民小學

1952
北勢分離
教室

1953 北勢分班
1954 北勢分校

1957 光正國民學校

1968
光正國民小學

1968 霧峰國民小學

50 桐林分班

1960
桐林國民學校

1952
桐林分校

1968
桐林國民小學

1953 萬豐國民學校

1968 萬豐國民小學

峰谷分校

1968 峰谷國民小學

1956 峰谷國民學校

（葉憲峻／內容提供，
　蔡杏元／繪圖）

霧峰國小校園裡設置了「熊愛讀冊」漂書點，推動大樹下的草地閱讀。此漂書點採取社區設計，與學校附近的居民多元共創。（韋瑋／攝影）

己身處的環境，追求集體的共好。從「區域整合」的角度來看，社區和社區、學校和學校，同在一條船。這是一條鄉土之船，當大家具備了吾愛吾鄉的意識，地方創生便充滿可能。所以當筆者發現霧峰多個小學存在著家族關係，心中雀躍，學校與社區、學校之間、社區之間，彷彿早已織就一張無形網絡，只要我們把時間的灰塵擦掉，便可以重新看見牽繫著彼此的血緣。

　　霧小的歷史也是地方初等教育的歷史，縮影著大時代的變遷。霧小的歷史，愈讀愈有趣⋯⋯《霧峰國小建校 120 周年校慶紀念專刊》整理了幾則時代記趣，特摘要敘述如下：

師生都要穿制服

日治時期，1941 至 1947 年間，霧峰國小不但學生

霧繞罩峰｜阿罩霧的時光綠廊

有制服，老師也要穿制服。在日式體制的學習環境下，特別重視長幼尊卑。在學校裡遇到學長，低年級要向高年級敬禮、打招呼，不然就會被學長、學姊訓一頓。

砲聲隆隆伴書聲

太平洋戰爭爆發後，雖然每天還是上課，但大部分時間都在躲空襲警報。多位老校友回憶：只要一聽到空襲警報，高年級同學就要帶著低年級同學避難，長期下來斷斷續續上課，難以專心讀書，很少人讀到畢業。那是一段隆隆砲聲伴著琅琅書聲的日子。

上學喝美援牛奶

戰後初期，1954年「中美共同防禦條約」正式簽訂，美援物資也隨之源源不絕地輸入臺灣。校友張蒼仁說：「老師要我們帶著杯子到學校去喝『美援牛奶』。每天早上九點至十點間，值日生就到茶水間去抬兩壺牛奶回教室分給全班同學。」

常被動員揮國旗

國民政府遷臺後不久，1950年代，經常有外國元首來訪；每逢友邦政要來訪，由於霧峰國小離臺中前往日月潭的省道很近，學生就會被動員站到省道兩旁，揮舞著國旗表示歡迎。

關於霧小，還有一項事蹟值得介紹——1965 年 1 月，霧小奉令成為全省性鄉村型示範學校。學校對學生的要求除了功課，也要求課外活動達到示範品質，當年的校長許信枝回憶：因學生都是走路上學，能騎腳踏車的少之又少，學校便要求學生在上下學時組織「學友隊」，由高年級帶低年級一起上下學。成了示範學校後，賓客絡繹不絕，不時有國際團體及全省九個師範學校的畢業生來此觀摩、訪問、座談。一大群外賓站在教室後面看著老師上課，已是習以為常的風景。

校名變變變的復興國小

由於當年省教育廳坐落於此，使得霧峰在教育方面獲得的資源非一般鄉村可以比擬。除了霧小作為全省鄉村示範校，省府眷舍光復新村旁的復興國小更是走在臺灣教育體制發展最前端。

為配合省府中部疏遷計畫，1956 年省教育廳、衛生處等機構陸續遷來，省府興建光復新村安置省府員工，次年創立「復興國民學校」方便省府員工子女就學，此舉亦嘉惠到坑口及附近六股、南柳的村落孩童。

創校規模有十三班，學生數約 600 人。因應九年國民義務教育之實施，1968 年以原復興國民學校操場校地，創建「光復國民中學」，1971 年為實驗「完全國民教育」，教育廳將兩校合併為九年一貫制實驗學校，命名「光復國民實驗中小學」，1979 年改名「光復國民中小學」。1982 年兩校結束合併，光復國小和光復國中各自獨立。

1999 年，光復國小歷經九二一大地震後僅輕微受損，但位處斷層帶上的光復國中校舍則塌成一片狼藉。光復國中原址震後改建為九二一地震教育園區，光復國小因校舍仍堪使用，繼續保留於原址。光復國中 2002 年遷至柳豐路新校區，更名「光復國民中小學」，分設國中及國小部。為避免校名與光復國中小的國小部重名，造成混淆，「光復國小」於 2005 年復名為「復興國小」。只不過，自 2005 年以來，政府執行國有眷舍騰空標售政策，光復新村住戶陸續搬空，復興國小學區主要學生來源流失，至此學生數逐年遞減，成為學生總人數不易破百的迷你小校。

從復興國小到光復實驗國中小、光復國中小，再到光復國小，而後回到復興國小，校名一變再變，放

前光復國中校舍塌損變形，令人怵目驚心。（熊與貓咖啡書房／提供，鄧惠恩／攝影）

九二一地震教育園區保留前光復國中校區受傷地貌，明顯可見操場跑道硬生生隆起。
（熊與貓咖啡書房／提供，鄧惠恩／攝影）

眼全臺，實屬異數，果然實驗。這樣的歷程一方面反映了人為的制度變遷，另一方面也受到自然災害之不可抗力因素影響。

　　如今光復國中舊址改建的九二一地震教育園區和復興國小旁的光復新村，已成知名觀光勝地，假日人潮湧現，民眾到此遊覽時，不妨移步到光復新村信義路底的國小校門，甚至沿著階梯登上乾溪河堤鳥瞰國小校園。這樣的隱藏版景點，只交給手捻歷史掌故的門道中人去發現。

第三章 Chapter 3

光 復 戰 後 歷 史 記 憶

戰後霧峰地區在省政府部分單位及省議會的移駐帶動
下,交通、給水與通訊等公共建設獲得改善,街區商
業活動與聚落發展也更形熱絡。

「舊教育廳」建築樣式為
規格化教室型空間。
（陳冠閔／攝影）

「光復」是臺灣戰後遺留的時代印記，1945 年第二次世界大戰結束，10 月 25 日中華民國從戰敗的大日本帝國手中接收大清帝國簽訂馬關條約割讓出去的臺灣，受降典禮於臺北公會堂（今臺北中山堂）舉行。國民政府代表除了陳儀，還有後來擔任臺灣省議會議長的黃朝琴；臺灣人民代表則以人稱「臺灣第一公民」、「臺灣議會之父」的林獻堂為首，林獻堂出身霧峰林家，省議會落腳霧峰，所以即便全臺各地都有以光復為名的道路、學校、村落，筆者總私心覺得，「光復」這兩字跟霧峰的聯繫是更為深刻的。

舊教育廳愈活愈年輕

　　國民政府接收臺灣初期，設臺灣省行政長官公署治理，1947 年二二八事件爆發後改組為臺灣省政府，省治設於臺北，當時的辦公廳舍即今行政院中央辦公大樓。1950 年國民政府遷臺，首都亦設於臺北，考量行政劃分與國防安全，1955 年以行政命令將省政府疏遷至中部地區，並陸續興建辦公廳舍與宿舍。霧峰作為

霧繞罩峰｜阿罩霧的時光綠廊

第一疏散區，霧峰國校旁的空地蓋起一幢「單邊走廊教室型」辦公廳舍供教育廳及衛生處使用，屬於美援時期國際樣式建築，此棟建築即今日在地居民口中的「舊教育廳」，為省府疏遷中部之首棟建物，其辦公人員所配給的宿舍設置於坑口，名為「光復新村」。位

「舊省政府教育廳」展開繽紛多彩的活化，行動派文化學者林錫銓創辦的「魚鳥文化志工隊」進駐其中。（陳冠閔／攝影）

它是舊省府遺留建築，你可以叫它舊教育廳、長青學苑或老無老素樸藝術中心，它開展新的生命，成為鄉親的樂活教室。
（陳冠閔／攝影）

在霧峰國校和坑口之間的牛欄貢地區，則興建省議會大廈及宿舍，由省議會自聘建築師規畫設計。

　　整體疏遷計畫幾經演變，受限於霧峰土地不足及徵收採購不順等問題，省府新行政中心最後確定落在南投營盤口，於該地建設中興新村。1956年省府遷出臺北、中興新村尚未完工之際，霧峰國校土地上新建的辦公廳舍曾短暫作為省府大樓，時任省主席的嚴家淦在此辦公，直到中興新村1957年落成後，才由省教育廳及衛

生處在此合署辦公。待衛生處在 1969 年遷往中興新村新建廳舍，這棟建物始由教育廳專用。1990 年新的教育廳大廈在原高等法院臺中分院舊址（今霧峰國小旁）動工，1993 年教育廳人員遷入新廈，進入「新教育廳」辦公時期。舊教育廳建築遂由霧峰鄉公所接管，陸續利用為清潔隊辦公處所、長青學苑。此棟廳舍的建築樣式，回應了初期「短暫疏遷」的政府態度，選在國校附近，並設計為規格化教室型空間，以便辦公人員撤出後可轉為教室使用，此舉亦有因應地方人口增長的考量。從此角度觀之，其建築規劃實具遠見，一開始便以「未來教室」的思維建設辦公廳舍。

2000 年時，長青學苑提供二樓教室作為霧峰國小學生臨時校舍，霧小因校舍在九二一地震受損，校舍重建階段部分學生移至長青學苑上課，雖是借用，但此地曾為霧峰國校校地，霧小師生這也算是「回娘家」了。2013 年此廳舍以「舊省政府教育廳」之名登錄為歷史建築後，逐步展開繽紛多彩的活化，有更多在地文化團體進駐，包括行動派文化學者林錫銓創辦的魚鳥文化志工隊，志工隊引導在地各級學校師生及樂齡

族群在此發揮素樸藝術的精神,一起學習成長,走向「圓滿老化」。2018年「老無老素樸藝術中心」正式掛牌,藝術元素已然成為活化老建築的靈動因子。在官民合作之下,霧峰「轉型試驗城鎮之旅」導覽培訓工作坊在此盛大展開,活動一波接一波。這塊園地於是迎來了極其熱鬧的階段,無論你叫它舊教育廳、長青學苑或老無老素樸藝術中心,它正朝著回歸「場域精神」去開展新的生命,不同於省議會過去的威嚴氣勢和光復新村當下的觀光氛圍,這裡是鄉親的樂活教室,鏈結著溫暖日常,頭頂銀光,但毫不滄桑,而是愈活愈年輕了。

光復新村的花園城市精神

當年省府南移,免除了臺北「兩個中央」同時坐鎮的尷尬,其背後,除了戰時防空疏散考量,亦有城鄉平衡發展思維。戰後霧峰地區在省府部分單位及省議會的移駐帶動下,交通、給水與通訊等公共建設獲得改善,街區商業活動與聚落發展也更形熱絡。回望過去、審度

光復新村享有「臺灣第一村」美名，農田綠地環繞，房舍與林蔭交錯，家家戶戶皆有庭院，生活設施現代化，是城市和鄉村的綜合體。（陳冠閔／攝影）

當下，從上個世紀中旬逐一展開的新省府建設，至今超過半個世紀的起落，究竟留給霧峰什麼樣的遺產？

此時從「觀光」的角度看霧峰，名氣最響亮的，除了霧峰林家，當屬光復新村，因為在地文化及社區工作者多年來的努力鋪陳，加上臺中市政府「摘星青年・築夢臺中」創業補助計畫的帶動，一個充滿歷史感的安靜聚落映現繽紛視覺並散發躍動氛圍，成為民眾散步的新興後花園。如今走訪「光復新村」，假日遊客多聚集在氣息活潑的文創區，你若不喜喧鬧，往遠離人潮的方向走，便慢慢走進另一世界，一樣井然有序的格子狀街道，左右張望，卻是屋瓦塌陷、磚牆剝落、鐵門鏽

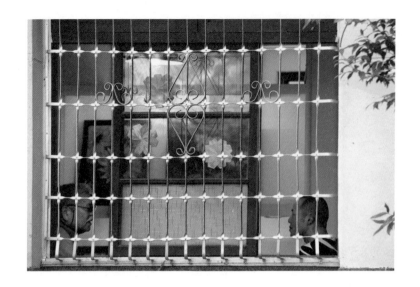

摘星聚落的青創小店打開
老與新的對話。
（熊與貓咖啡書房／提供，
鄧惠恩／攝影）

蝕，庭院草長及膝，窗玻璃不知被哪些頑皮孩子拿石頭
擲了個洞，荒僻與殘破接管了房子，野貓野狗成為地盤
主人。一個村落兩樣情，或許正是當下光復新村的魅力
所在。有人來此尋找失落的記憶，憑弔時光；有人來此
踏查廢墟的美學，攝取奇觀；有人只是誤闖，心頭浮上
一種錯綜複雜、說不上來的感受。

　　建村超過半世紀的光復新村，遭逢 1998 年「精省」
及 1999 年九二一大地震的雙重打擊，環境日益衰敗，
人口不斷外流，2008 年底，因中央政府政策辦理騰空
標售，居民被強制搬遷，人去樓空，村落死去——這
是廢墟情景。多年後，政府以「摘星計畫」之名整修

部分房舍，補助青年創業者進駐，2015 年正式開放，啟動商業觀光模式，這裡不再是鬼鎮；2018 年市政府利用新一批修復好的房舍，邀請國內外非營利組織進駐，發展國際非營利組織中心（INGO）， 未來一片榮景——這是新生的情景。

光復新村作為 1950 年代冷戰期間省府疏遷中部的員工眷舍，是臺灣第一個參考「花園城市」（Garden City）概念建造的聚落，享有「臺灣第一村」美名，為臺灣自力規劃新市鎮之成功首例，擁有全臺首屈一指的公共建設。有了這一次成功實驗，才有後來南投中興新村更大規模的實踐 。「花園城市」理論可溯源至 1898 年英國霍華德爵士的著作《明日的花園城市》， 應用在光復新村，體現了如下的社區風貌：農田綠地環繞，人口數量合宜，房舍與林蔭交錯，家家戶戶皆有庭院，工作地、學校、市場都在附近，交通便捷，生活設施現代化……這般城市和鄉村的綜合體，是當年省府新市鎮藍圖的原型，如此具有重大歷史意義的美麗社區，在拆遷的刀口下，歷經臺灣花園城市發展協會、阿罩霧文化基金會、絲田水舌永續生態、

街燈亮起後的光復新村
圓環熱鬧了起來。
（陳冠閔／攝影）

屯區社區大學、霧峰文化創意協會等團體的搶救、爭取，終於在 2012 年登錄為「文化景觀」，得以全區保存，登錄範圍包括整體宿舍群、光復市場、自來水廠、汙水處理廠、復興小學及 921 地震教育園區共 19.04 公頃，其中宿舍群面積達 9.6 公頃。這一波文化保存運動，創造了在地知識分子能量集結的契機，在有志之士引導之下，民眾鄉土意識慢慢地覺醒。領航人物包括范道莊、吳東明、簡宏哲、王升原、陳威翰、林錫銓、孫崇傑、何佳修等，他們不但是保存光復新村的功臣，也以宏觀的視野、創新的點子和無盡的熱情，參與其後續連綿不斷的活化行動。

光復新村供應市場到了傍晚，市場牌樓下的「辦桌牛肉麵」聚集許多人，前來品嘗記憶中的老味道。（熊與貓咖啡書房／提供，鄧惠恩／攝影）

綠活村傳道人范道莊

關於光復新村的保存活化，有幾個關鍵角色，其中之一，是「命格屬木的女子」范道莊。筆者與范道莊結緣，起源於 2012 年在報紙副刊編輯崗位上，留用了一篇書寫霧峰光復新村的文章，筆者對作者范道莊文中所描繪——綠樹成蔭、生態豐富的宜居家園，心生嚮往。逐字逐句爬梳校對中，筆者又興起一種荒謬之感：這座花園城市之村其實就在筆者老家附近，為何文中的一景一物於筆者是那麼陌生？范道莊寫她自己「住在花園城市裡的動物園」，其筆下的光復新

村 ：「不在遠離塵囂的高山，也不在幽靜的海邊，卻有著充滿綠意的生態美景。」她形容這塊約十公頃大的眷舍 ：「有棋盤式的街道、樸實的瓦房、小小的院落，還有美美的紅磚牆，處處呈現濃濃的 50 年代懷舊風情。」她因為文化保存運動而回到光復新村，重新凝視小時候成長的家園 ：「當年建村即栽種的樹木都已長成大樹，林立在各角落護衛著老社區；繁茂枝葉除了是蟲鳥安全的棲身之所，開花結果的季節還成了天然食物銀行。少了人煙的『花園城市』不僅丰采依舊，生態環境也更好。」范道莊寫就此文之時，光復新村正準備進入保存成功後的活化階段，文中處處流露她對村落裡豐富自然生態的珍惜與自豪。

2014 年底，筆者回到霧峰，遇到了從文章裡走出來的范道莊。多次交流對話，得知她和臺灣花園城市發展協會的夥伴自 2012 至 2014 連續三年，分別提報光復新村、舊省政府教育廳及北溝故宮文物典藏山洞進行文化資產審議，過程艱辛但均獲通過，成功留下三個戰後歷史文化資產，創下重要紀錄。在此之前，范道莊本是個資深媒體人，還擁有豐富的社福機構服

務經驗，將屆退休之齡的她本該好好準備迎接享福的熟年，卻一股腦奮不顧身投入文化保衛戰，一切或許是冥冥中注定……

　　2008 年光復新村居民被強制遷出，房屋即將騰空標售，她望著這個從小在裡頭成長的社區、母親住了四十多年的眷舍，曲終人散。從前的鄰居一邊搬家當一邊流眼淚，回來說再見的她也跟著淚流不止，走著走著，雙腳就像兩旁的路樹一樣長出了根系，緊緊盤住土地，走

大地震導致斷層隆起及光復國中倒塌，兩年後成立「九二一地震教育園區」原狀保存光復國中震災遺址。教育園區外榕樹夾道，地層錯動造成路面起伏，道路中線扭曲如蛇。（熊與貓咖啡書房／提供，鄧惠恩／攝影）

范道莊奮不顧身投入文化保衛戰，是光復新村保存活化的關鍵角色。（王維初／攝影）

霧繞罩峰｜阿罩霧的時光綠廊

不動了，腦海浮現一個念頭：人搬走了，屋也要拆了，能不能按下暫停鍵，大家一起來思索保存的可能？

因緣際會認識了投入光復新村保存運動多年的青年吳東明，范道莊跟著撩落去，把自己在臺北媒體圈打滾 20 年所累積的專業能量，奉獻給家鄉的守護。沒有明天、不確定未來的文化保存運動者，何以不計代價跌跌撞撞繼續前行？應是家園記憶太美好，讓人太眷戀了。她回憶從前：「家家院落栽植綠樹，花木扶疏，附近都是樸實的農村景象，隨處可見水稻田，白鷺鷥悠閒騎在牛背上。」在這樣一個美麗自然的環境中成長，無形中孕育她對環保生態的重視和關懷。

住在花園城市裡，就是最棒的環境教育。生態知識，蘊藏在綠色家園的日常。如果自小便親近大自然，與蟲魚鳥獸結為友伴，你便不會去破壞山林、迫害動物。光復新村保存下來後，要務之一是生態的照護，曾經的天災，加上人禍——為了家門風水而砍樹，或者缺乏正確修剪樹木的常識，使得村落裡許多老樹面臨生存危機，救援工作刻不容緩。范道莊說：「我的命格屬木。」所以她提筆畫畫，畫的是靈動的樹，四

霧繞罩峰 │ 阿罩霧的時光綠廊

當居民被遷走，只剩老樹
守護家園，樹的生長，成
為光復新村依然活著的證
明。（陳冠閔／攝影）

光復新村搬遷前，村民們依依不捨拍下合照。（吳東明／提供）

處宣講，講的是樹的生態。當居民被遷走，只剩老樹守護家園，樹的生長，成為光復新村依然活著的證明。范道莊憑著三寸不爛之舌以及尚未焚盡的熱情，不停地傳達理念，引介知識，告訴大家要愛樹護樹。對她而言，家，是令人感到平安自在的地方，有樹遮蔭之處，便可以在人們心中增添一絲這樣的篤定。

在拆遷的刀口下，文化團
體戮力爭取保存。圖為臺
中市政府文化局文資委員
於光復新村審查。
（陳冠閔／攝影）

2012 年 1 月 17 日光復新
村通過文化資產審議，眾
人在臺中市政府前高興合
影。（陳冠閔／攝影）

家園的守護者吳氏兄弟

　　談起保存光復新村的英雄人物，吳東明定會被提及。筆者先認識他弟弟吳東晟，20 年前筆者在輔大創辦詩社時便知曉這號人物。多年後翻閱廖振富編寫的《霧峰鄉誌》，才知吳東晟和筆者同鄉。

　　近幾年筆者擔任文學專車領隊，帶民眾走讀臺中城南文學地景，蒐集大屯線（大里、霧峰、太平、烏日）作家資料時，發現吳東晟曾寫下一系列題詠霧峰的詩作。他那首〈光復新村竹枝詞〉：「地牛翻覆忽留痕，一校傾頹一校存；信義路成生死界，青山原本滿丘墦。」講的是舊省府員工眷舍「光復新村」的光復國中和光復國小，兩校隔著一條小小的信義路，1999 年九二一大地震時，國中全毀而國小無恙。

1980 年代吳氏兄弟在光復新村合影。（吳東明／提供）

　　震後光復國中遷校至今亞洲大學旁，並增設國小部，改

制為「光復國中小」。 光復國中舊校址改建為九二一
地震教育園區，震殤地景局部保留，依舊怵目驚心。
原光復國小並未廢校，而易名（其實是恢復創校時的
舊名）為復興國小，就近服務為數不多的學童，歲月
將其淘洗成一座老而美的小校。每回指引民眾趨近這
條分隔生死兩界的小路，總要朗讀這首「陰陽路」之
詩，音律跌宕，那些平日不甚閱讀文學作品的遊人，
似也沿著詩句彎進當年村落居民的心境，百感交集。

　　哥哥吳東明，是弟弟吳東晟介紹給筆者認識的。
吳東明從一個人孤軍奮戰，到聚結革命戰友，串連在

吳東明（圖中拍照者）聚結戰友努力留下光復新村這美麗的有形文化資產，他偕父
母（吳宗評夫婦，右三、右二）探訪舊居時，巧遇人稱寶媽媽的寶張淑雲（右一），
老鄰居相見，內心感動不已。（林德俊／攝影）

光復新村被冠以「臺灣第一村」的響亮名號，可視為文化保存運動的鮮明策略。此處領先臺灣其他社區的生活設施，包括雨水和汙水下水道分流系統、自來水系統、配電系統、房舍配置、交通系統、層級道路、停車場、淨水廠、圓環、市場、學校、倉庫等，這是個具系統性的城市雛形，堪稱當年「臺灣最先進」。

光復新村是臺灣戰後市鎮規劃的里程碑。對此，吳東明作出一個精準且漂亮的比喻：如果省府中興新村是臺灣都市規劃史上的磅礴史詩，則光復新村即是這一篇史詩巨作的「首部曲」──第一次，系統性的都市規劃；第一次，人口密度的鋪陳安排；第一次，宜居社區的成功實現，以及第一次，汙水下水道在臺灣的誕生，都標示著這座聚落的身世與歷史。

地文化團體，歷經十餘年努力，終於在 2012 年成功爭取光復新村全區登錄保存為臺中第一例「文化景觀」，使得如今的村落再生實驗成為可能。他主張光復新村「原汁原味」活化，可以朝向社會住宅精神延展村落紋理。這樣的思維觸動了筆者，一個美名「臺灣第一村」的花園城市聚落，該要有人居住其間，才能繼續醞釀美好的生活感。

吳東明不斷提醒「修舊如舊」的重要性，每回看到因整修而被拆除棄置的老屋瓦舊窗框，他的惋惜之情溢於言表。筆者常在想，擁有「文資魂」的吳東明，其家園守護行動絕不會在階段性任務完成後便畫下休止符，他會透過倡議、導覽及其他種種方式，引領民眾凝視身邊可貴的文化資產。

哥哥吳東明的保存運動，努力為我們留下有形文化資產；弟弟吳東晟的文學書寫，則為我們留下牽引共感的生命記憶，那是無形文化資產。吳氏兄弟都是念念不忘之人，和一去不返的時光拔河，在哥哥挺身而出和弟弟默默實踐的姿態裡，他們至少守住了一個無怨無悔的自己。

省議會草地上的書哥拉底

從筆者所居住的蘭生街步行到中正路口，斜對面便是省議會。隔一條馬路望去，高聳老樹群隨四季變裝。每回行至省議會大門，總感到一股非凡氣勢，椰子樹如倒裝的毛筆在園區主道兩旁威嚴列隊，椰林大道盡頭的圓頂建築似曾相識，有美國國會山莊的影子，那正是從前省議員開會的議事大樓。

臺灣省議會 1958 年在此建園，官式園林恢弘大器，與幾條街之外霧峰林家的精巧宅園輝映。1998 年「精省」為省諮議會後，這塊寶地改稱「臺灣省議會紀念園區」，兼作立法院中部辦公室，但慢慢褪去實質議會政治功能。少了黑頭車頻繁進出，市井生活感取而代之，健康操舞動晨光，傍晚乘涼風健走，周末野餐和寫生增添熱鬧。此地除了運動休閒，更是生態教育場所，筆者所經營的熊與貓咖啡書房多次邀請達人帶領民眾探索這座園林及其後山的動、植物生態，包括荒野保護協會臺中分會會長游永滄、園藝暨樹木

議事堂前的閉口石獅提醒著議員莫忘為民喉舌,而今褪去實質議會政治運作之後,市井生活感取而代之,成了民眾休閒運動的日常處所。

(熊與貓咖啡書房/提供,鄧惠恩/攝影)

救援達人游南軒、亞洲大學生物科技系老師張筱筠、熱中環境教育的霧峰國小校長陳榮錦,2017 年大夥一起完成了一份「熊愛森林省議會樹木地圖」作為認識地方的推廣教育文宣。

　　園區見證戰後臺灣地方自治與議會政治發展軌跡,議事大樓、議員會館和朝琴紀念館,都是市定古蹟。議員會館為過往省議員下榻之處,當中的議蘆餐廳委由霧峰農會經營,在地菇蕈及水果入菜,遠近馳名。議員會館旁的朝琴館,館名源自首任省議長黃朝琴,一樓開放為「臺灣省議會會史館」, 一進館,臺灣議會之父林獻堂的事蹟映入眼簾──於日治時期發起臺

議員會館旁的「朝琴館」，
館名源自首任省議會議長
黃朝琴，因而館前立有黃
朝琴塑像。
（熊與貓咖啡書房／提
供，鄧惠恩／攝影）

灣議會設置請願運動，爭取民族自治，屢仆屢起。省
議會會史館對面，另有外觀氣派的「立法院議政博物
館」。 省議會會史館的人員組織在 2018 年底進行重
新整併，跨入 2019，議員會館也將展開更積極的活化
作為，整個園區正步入一個新的階段。

　　2017 年春天，省議會的草地上有奇妙動靜。好幾
個周日下午，一位頭戴桂冠、身穿白袍的「智者」，
自稱「書哥拉底」， 與民眾熱情對話。你若在旁好奇
觀望，隨時會成為「目標」， 不知不覺被拉進激昂的
場子裡。這位中年大叔自民間學院走來，帶著古希臘
哲學家的辯證法，站上色彩繽紛的肥皂箱，透過提問

學者林錫銓（右一）將自己扮裝為「書哥拉底」，他在草地上舉辦「草地民主論壇」，藉此召喚省議會的「場域精神」，引導參與者交流思想，建立公民素養。圖為明台高中的公民課戶外教學。（韋瑋／攝影）

與追問，引導人們思考：「臺灣民主有什麼了不起？」「臺灣社會需要共識嗎？能形成共識嗎？什麼共識？」這般火花四濺的公共領域，令人想到英國海德公園的肥皂箱，人人都可以站上去陳述理想與抱負，意見不同者也會尊重你的言論自由，這是民主的優雅。

原來，這是在地學者林錫銓所舉辦的「草地民主論壇」，又名「詩情民主運動」，他經常把亞洲大學地方文化相關課程移到省議會的草地上進行，自己扮裝為「書哥拉底」，透過議題設定，提問且不斷追問，操演他心目中理想的民主行動，引導參與者將宣洩情緒的街談巷議昇華為尊重包容的理性辯證。他的心聲是：臺灣民主制度已經完備，但民主文化還有極大優化空間，希望藉由公開表達與聆聽，不斷練習「人能言，人願聞」，交流思想，建立富含底蘊的公民素養。

這是林錫銓活化省議會的特殊手法，藉此召喚「場域精神」。書哥拉底聲名漸開，不論是附近各級學校如明台高中的公民課戶外教學、官民合作的社區營造工作坊或各種走讀霧峰的研習團，經常邀請書哥拉底現身，有了「書哥」創新詩意且愉悅嬉戲的帶動，這

個民主教育基地已經生龍活虎起來。

　　省議會紀念園區的新時代，除了仰賴在地文化工
作者的撩撥擾動，仍須寄望館舍的優化營運和周邊環

「臺灣省議會紀念園區」裡椰林大道盡頭是從前省議員開會的「議事大樓」。
（熊與貓咖啡書房／提供，鄧惠恩／攝影）

臺灣人爭取民權與自治，始於日治時期，最為人熟知者為臺灣文化協會所推動的臺灣議會設置請願運動。1935年日本殖民當局公布臺灣地方自治制度改正案，開放地方議會一半議員名額給臺灣人民投票選舉，多數臺灣人在日治後期已知悉選舉自治為何物。

臺灣光復後，政府為實施地方自治，1946年成立「臺灣省參議會」於臺北市南海路54號（現址為二二八國家紀念館），1951年改制為「臺灣臨時省議會」。1958年省議會議事堂與議員會館在霧峰落成，臨時省議會正式疏遷至霧峰辦公。1959年臨時省議會改制為「臺灣省議會」，黃朝琴當選第一屆議長。

境的規劃配套。這個綠樹成蔭、花木扶疏的大公園，是霧峰國小師生的生態教學場，因為省議會和霧小之間，只隔著省議會宿舍，近在咫尺。霧小再過去為國立臺灣交響樂團所在地。2017年暑假尾聲，基地位於霧峰的國立臺灣交響樂團，決定和霧峰農會等地方機關團體合作，在省議會旁的高爾夫球練習場舉辦別開生面的「霧峰草地野餐音樂會」，結合在地美食園遊會，邀請霧峰農會家政班、各社區發展協會的志工共襄盛舉。萬頭攢動的情景，讓長年生活在此的朋友彷彿回到從前中秋賞月的省議會草地，那已是九二一大地震前的光景。草地野餐音樂會有國際級的專業舞臺，以及臺上古典音樂家的經典歌劇和雋永的電影音樂，天空飄著雨絲，卻怎麼也趕不走民眾的熱情。這樣的野餐，很有氣質，夠接地氣。2018年「草地野餐音樂會」在霧峰農會主導之下，延後到秋日繼續舉辦，整合「阿罩霧鄉村田野公益路跑」一起行銷，周六音樂會，周日路跑，綿延起來聲勢更大。國臺交的演出曲目包括臺灣文化協會會歌及臺灣議會設置請願歌，精準回應了這個場域的民主精神。除了國臺交的演出，

還加入了霧峰多個學校樂團接力共演。野餐音樂會在省議會區帶的草地上悠揚，鄉村田野路跑從省議會椰林大道上鳴槍起跑，未來或許會有更多樂活親民的活動在此舉辦。

回顧省議會的歷史，一開始它的園林就是向一般民眾開放的公共空間，目前朝向休閒運動及文資觀光的活化運轉，也算一種符合場域精神的實踐。省級議會政治退場之後，園區的氛圍顯得更加平易近人，如今柔軟草地攤開成一片開闊的文化綠帶，關於省議會園區的未來式，每一位走進這裡的朋友都可以發揮他富有公民意識的詩情想像。

1998 年省議會改制為「臺灣省諮議會」，偌大開放空間改稱「臺灣省議會紀念園區」。從省參議會、臨時省議會到省議會，臺灣省議壇風雲共 52 年。2007 年立法院中南部服務中心及議政博物館在此園區成立。2011 年 5 月 1 日臺灣省議會會史館在朝琴館一樓成立──這個日子饒富意義，65 年前的 5 月 1 日恰是「臺灣省參議會」成立之日，5 月 1 日被視為臺灣省議會的生日。

第四章 Chapter 4
有情有味的現代化農業

霧峰農業不但發展得早,且帶著強烈的實驗精神。
如今此地正躍升為面向世界的食農教育基地,那是眾
多先行者一步一腳印大膽開拓、務實經營的結果。

收割期，鄉間小路上的日常
風景：割稻機翻出土裡的蟲
子，白鷺鷥一路跟隨。
（熊與貓咖啡書房／提供
　　鄧惠恩／攝影）

霧繞罩峰 │ 阿罩霧的時光綠廊

阿罩霧圳第一水門建於昭和年間。（韋瑋／攝影）

霧峰為豐饒之鄉，耕地約 4,800 公頃，以臺三線（內山公路）劃分，東半部為丘陵地，栽植龍眼、荔枝、香蕉、鳳梨等水果，亦盛產蜂蜜；西半部為沖積平原，烏溪支流密布，良田處處，種雙期水稻，近年霧峰區農會在農業委員會農業試驗所技術指導下，推廣品質精良的「益全香米」，帶動稻作產業轉型，成功打造霧峰為「香米的故鄉」。

阿罩霧圳灌溉歷代沃土

放眼全臺的農業城鎮，霧峰開發極早。清乾隆中葉便開鑿的阿罩霧圳，歷經日治、民國時期拓展，至今依

阿罩霧圳頂抄封支線水
車，節能又壯觀，成為重
要的水路地景。
（韋瑋／攝影）

然發揮灌溉農田的功能，相關地景深具歷史價值，形成
觀光休閒農業發展的有利基礎。早期漢人入墾，多以私
設埤圳灌溉農田，霧峰水利發達，所以農產豐富。乾隆
三十年間（1765 年）大墾戶吳洛（墾號「吳伯榮」）
修建萬斗六圳，引烏溪灌溉一千餘甲田園。道光十八年
（1838 年）霧峰林家林定邦於坑口、六股一帶修建阿
罩霧圳（今「霧峰圳」段落），引草湖溪支流乾溪灌溉，
後因拓墾面積漸大，遂將其他私設埤圳連結成一個灌溉
系統，統稱「阿罩霧圳」。由於水利設施完備，加上「墾
戶制」的發展，移民勤奮耕作，使得此地稻米產量大增。
日治時期，大、小水圳經總督府合併為「阿罩霧公共埤
圳組合」，完成烏溪治水工程後，進一步擴大整合為

「阿罩霧圳水利組合」。

　　1838 年便開始修建的阿罩霧圳，早年圳溝延伸至霧峰林家宅園附近，可行竹筏輸送民生用品，此景已不復見。今日阿罩霧圳尚留日治時期昭和九年（1934 年）設立的第一水門遺跡，且設有一座直徑九公尺的大水車引烏溪之水，藉自然水流動力運轉水車，汲取低處（阿罩霧一圳幹線）水源抬升之後注入幹線旁的頂抄封圳，惠及下游三十餘公頃農田。此阿罩霧頂抄封圳水車工程在 2004 年竣工，省去了抽水馬達高額電費及管理維護費支出，以環保智慧維護農民生計之餘，瀑布般的嘩嘩水聲 24 小時不曾稍歇，水車尺度之大，蔚為奇觀，吸引民眾前來感受、拍照，成為重要的水路地景。

　　霧峰農業不但發展得早，且帶著強烈的實驗精神。昭和八年（1933 年）開始，林獻堂與其子林猶龍，謀求租佃關係與農作方式之改善，與坑口當地佃農簽訂農事自治契約，成立「坑口農事自治村」，進行農事制度的多元實驗，以新觀念、新作法振興農村，為 1950 年代省府新市鎮的規畫奠定了重要基礎。坑口農事自治村的運作由霧峰林家的大安產業株式會社主導，提供土

地、補助建設，出錢出力，積極帶領。村內自治戶常舉辦各式觀摩、比賽，以增進實作能力。其實驗是全面性的，包括建設共用引水、更新稻作品種、提升插秧技術及耕作方式，還兼及文化教育及公共衛生之進步，村民生活品質獲得確切改善。

遇見學者型農夫張有明

　　戰後霧峰依然是臺灣農業重鎮，1950 年代霧峰農業人口數高達全鄉總人口數的四分之三，但隨著工商服務業興起，進入 1970 年代，霧峰的從農人口逐年滑落，農地也慢慢縮小，轉作他用。都市化的腳步未曾稍停，農村人口外流是地方創生的重大挑戰，但傳統農村的「幫伴」精神沒有消失，左鄰右舍的「互助」、「分享」是此地人際交流的日常，所以霧峰擁有許多充滿凝聚力的社區營造組織和文化志工團體。誕生於新時代的理念型店家也開始醞釀出結盟共生的風氣，來到這裡的遊客，行走大街小巷時不難感受到一股濃濃的人情味。

　　霧峰特產之一是「人才」，其中一類為「學者型

【上】【下】「阿罩霧自然農」創辦人張有明於農試所附近的的香米田帶領民眾親自體驗割稻趣。
（熊與貓咖啡書房／提供，鄧惠恩／攝影）

　　　　　　　　　　　　　　　　霧繞罩峰｜阿罩霧的時光綠廊

農夫」。臺灣農業研究的火車頭「臺灣省農業試驗所」於 1977 年遷至萬豐，使得霧峰成為全臺農業現代化的核心基地。農試所周邊的農村，包括舊正社區、六股社區，在政府的社區總體營造及農村再生計畫培植下，已發展為全臺知名的農村社造示範級社區。農試所編制二百多人，博士占九成以上，把二十多年精華歲月奉獻給實驗室，於此落地生根，退休後就近過起田園生活的博士，可不是十根手指頭數得完的。

在農試所附近的田園，隨便攝下一幅拾穗身影，你可能就抓到了一隻博士寶，譬如「阿罩霧自然農」的創辦人張有明。第一次見到他，黝黑皮膚、樸實外表，確實一副「農夫樣」，在人群中很不起眼。但自然農法的話題一開，他的「學者魂」便上身了，娓娓道來友善土地的滿腹經綸，如何不灑農藥不噴除草劑也不用化學肥料，依然能夠對抗病蟲害，讓稻子成熟、果實肥美。關於園藝知識，你給他一個問句，他可以回你一整個下午，欲罷不能。博士種田，有什麼不一樣呢？答案是：想太多。博士種田，不只是種，還會腦筋轉啊轉：如何種得觀念正確、種得因地制宜、種得人天共好……。

霧峰農會總幹事黃
景建同農會夥伴一
起去看自然農農友
何添池的香米田，
了解並探討友善耕
作的困境和契機。
（楊皂霧／攝影）

　　這得從他退休後轉進大學教書說起，在產學合作的
機緣下，帶著學生接觸第一線的農民，一接觸下去，不
得了，農藥濫用的程度令他這個實驗室裡的「園藝宅」
大開眼界！用藥效果立竿見影、投資報酬率高，加上農
藥行的積極推銷，所以廣大農民一用不可收拾，許多實
在不必用藥的時機也大量投藥，形成對土地的毒害、對
河川的汙染。

　　幾年後，張有明接任舊正社區發展協會理事長，
力推自然農教育，2014 年在農委會水土保持局補助

下，開辦水稻自然生態農法教育講習班，聘請專家授課，這些專家多來自舊正社區附近的農業試驗所及農業藥物毒物試驗所。課程結束後學員不散，張有明聯合林資棟、何添池等有志一同的農友，2015年在「絲田水舌永續生態」的創辦人孫崇傑的協力以及霧峰農會的支持下，成立「阿罩霧自然農」社團，不按慣行農法種田的傻子俱樂部於焉誕生。阿罩霧自然農成立不久，便跟著他們去看農友何添池的香米田，走在兩片田中間，頓時有陰陽界的錯覺，一邊是不知哪個聰明人的慣行農法田地，秧苗翠綠可觀，另一邊是何添池的自然田，稀稀疏疏的秧苗隨處可見福壽螺的蹤跡，不知內情的老農見此「不認真耕作的田地」還會感嘆世風日下、年輕人偷懶哩！究竟哪邊是陰、哪邊是陽？自然農法的一大挑戰是：收成率偏低，銷售價偏高。說到底，還得仰賴民眾的飲食觀念與消費習慣，來促成健康農業的革命。而張有明會告訴你：只要農友願意嘗試，大膽實驗，耐心修正，收成率可以慢慢提升，繞點路，養水養地，環境定會給你回報。

【上】【下】霧峰農會無償提供農會大樓下的長廊空間於每周三上午辦理「阿罩霧自然農市集」，市集固定舉行小農開講，介紹食材辨識並示範料理手法。（王維初／攝影）

百甲良食的掌旗者黃景建

　　自然小農社群是友善耕作的實驗家暨實踐家，地方農業的火車頭「霧峰區農會」則是引領這一波風潮的有力者，農會總幹事黃景建乃靈魂人物。

　　霧峰農會扶植在地自然小農，2015 年 7 月起便無償提供農會大樓下的長廊空間辦理每周一次的「阿罩霧自然農市集」，後來農會酒莊旁的民生故事館成立，自然農市集有了第二場地，每周六、日與前往故事館參觀、用餐的民眾見面。農會提供場地，不收租不抽成，還主動幫忙行銷。從傳統農會的本位主義來看，這或許是不必要的付出，但在黃景建心中，農會也是公共財，「農會是屬於大家的。」霧峰農會的源頭，可以回溯至日治時期，1922 年在林獻堂號召下，地方人士熱心響應，成立「有限責任霧峰庄信用組合」，以調節農村金融，支援農業生產、農產品運銷等，此為霧峰農會之最早前身。林獻堂在農業方面的重要貢獻，還包括在1933 年成立坑口農事自治村。典範在夙昔，新輩農會領導人顯然繼承了先賢的高瞻遠矚和大我精神。

今日霧峰農會發展友善耕作，不止於支援小型自然農社群，同時也成立「五甲地」品牌，試辦友善耕作稻米專區，逐步把影響幅面擴大，以契作方式輔導農民放棄慣行農法，改以自然農法種植水稻，讓浩劫的土地得到喘息。轉型的過程何其艱辛，不但要透過觀念、技術的培力打好基礎，到了實作階段，種植環境得通過嚴格的土壤及水質檢測，成品的驗收也是一道高門檻的關卡。總算在 2015 年 8 月 ，「五甲地」霧峰香米正式對外發表，著重故事行銷的理念型品牌策略獲得初步成功，在農會號召下，更多農民加入契作，一開始只是九位農民合計五甲地的示範區，到了 2018 年已達四十甲地的規模。

　　「五甲地」建立了信心，農會接著高舉「百甲良食企業認養」的旗幟，邀請企業來認養良田，讓企業成為農產消費者暨有力支持者，包括發跡於霧峰的知名企業「三久股份有限公司」在內，已有超過三十家企業加入良田認養計畫。

　　良田回來了，生態便回來了，2018 年 3 月 29 日，農民在田間發現多年不見的稀客 ——臺灣原生種的大

霧峰農會巍峨的新綜合辦
公大樓於 1998 年落成，
內部設置臺灣菇類文化館
與田園藝廊。（霧峰區農
會／提供）

隻「柴棺龜」，直徑約有 30 公分，民眾戲稱「五甲地」
也可名為「龜間稻」了。令人振奮的生態發現不只一樁，
4 月 9 日有農民在巡田時與一窩可愛的鳥蛋撞個正著，
4 月 17 日孵化後確認是紅冠水雞的寶寶。4 月 19 日，
五甲地所在的五福社區，土地公廟匯聚著各方農業人，
包括農會、產銷班、水保局、社區發展協會、慈心有機
基金會的人員，大夥一起向屏東科技大學鳥類生態研究

【上】【下】兼具文化觀光功能的酒莊，由閒置的萬豐舊穀倉改建而成，舊碾米機是酒莊超市的鎮店之寶。（熊與貓咖啡書房／提供，鄧惠恩／攝影）

室學習鳥踏架設，準備在田間立起黑翅鳶棲枝，吸引猛禽來幫忙吃老鼠。黃景建在土地公廟跟著農民一起聆聽專家說老鷹的故事，心中滿懷希望。這個希望沒有落空，架設不到一周，就有民眾目擊黑翅鳶停棲於人工鳥踏的身影。

從菇類王國到香米的故鄉

霧峰正躍升為面向世界的食農教育基地，那是眾多先行者一步一腳印大膽開拓、務實經營的結果，這些農業英雄包括黃景建、張有明等人，以及培育出益全香米的郭益全。

黃景建 2001 年接任霧峰農會總幹事，先健全財務，再精準開拓，於原本偏重水果、菇類產銷的農會事業體之外，發展香米事業，基礎穩固後，開始建構「價值產業鏈」，派員赴日學習清酒釀造，用一流的技術將香米加工為清酒，創造新價值，助農民取得更好的收益。2005 年農會籌建酒莊，以香米釀製清酒，進軍國際屢獲佳績。霧峰的香米和清酒，已成為臺中

之寶、臺灣之光。

　　由於氣候宜於菇蕈生長，霧峰在 70 年代成為「菇
類王國」，尤其金針菇產量占全臺一半以上，戴養菌
園號稱全世界最大的金針菇生產場。霧峰菇業擁有國際
地位，1998 年農會大樓遂闢設了臺灣唯一、世界唯二
（另一處在荷蘭）的菇類文化館，附設農村文物館。

　　後來霧峰擁有另一雅稱「香米的故鄉」──霧峰不
只是香米在臺灣的最大產區，也是益全香米品種出生的
地方。稻米改良專家郭益全博士在位居霧峰的臺灣農業
試驗所，耗費近十年工夫，帶領團隊成功培育出革命性
的新品種，卻在 2000 年正式命名前夕積勞成疾過世，
得年 55 歲。登記為臺農 71 號的新品種香米遂以「益全」
為名，以感念他的貢獻。臺農 71 號益全香米被美讚為
「好看又有內涵」，尤其掀開鍋蓋時濃濃芋頭香撲鼻
而來，給人莫名感動，消費者再購率極高。郭益全生前
念茲在茲：「要種稻，就要種好稻；要吃米，就要吃好
米。」猝逝後，同事接手他未完成的事務，見資料堆積
如山，才體會到他對工作的投入有多深。郭夫人說：「每
天洗米的時候就會想到他，如果他能吃一口香米再走，

臺農 71 號益全香米被美
讚為「好看又有內涵」。
（霧峰區農會／提供）

益全香米

益全香米，學名「臺農 71 號」。1992 年臺灣農業試驗所引進日本稻種與本
土稻種雜交，進行新品種選育，歷經九年試驗，克服病蟲害、提高抗病力，
終於完成色、香、味俱全的良質米研發，成為農試所引以為豪的代表作。為
紀念因心肌梗塞過世的培育團隊負責人郭益全博士，2000 年臺農 71 號正式
通過命名登記後，再由當時的總統陳水扁親自命名為「益全香米」，不但
成為國內第一個擁有商品名的稻米品種，也確立了第一支臺灣香米的歷史地
位。2003 年大學學測作文題目「香米碑」以郭益全研發臺農 71 號的過程為
考題，更讓益全香米知名度大增。

作為臺、日混血兒，父本來自散發芋香的臺稉 4 號，母本來自與越光米齊名
的日本絹光米。它出身高貴且內外兼修，有日本頂級米渾圓飽滿、晶瑩剔透
的美麗外觀，而且口感黏彈適中，香氣淡雅迷人，還富含高單位維生素。

益全香米品質佳，收益高，市場穩定。它的原產地、主要產地都是臺中霧峰，
由於自然條件和人為管理等先天優勢和後天努力，霧峰香米一直是稻米評比
競賽的常勝軍。（文／韋瑋）

2018 年分別拿下三面世界金牌的霧峰農會出品酒類，由左而右依序為荔枝蜂蜜酒、初霧燒酎及初霧純米吟釀。
（霧峰區農會／提供）

初霧清酒

霧峰區農會朝著建立農業新價值鏈，為香米、蜂蜜等農產品創造附加值，2005 年籌建酒莊，邀聘日本東北大學廣井忠夫博士駐臺擔任顧問，並派員赴日至清酒故鄉新潟縣酒造學習一流的清酒釀造技術。2007 年霧峰農會酒莊正式成立，以霧峰香米、埔里山泉水釀製清酒，臺灣第一支在地清酒——初霧，於霧峰誕生。

初霧系列清酒有：吟釀、純米吟釀、純米大吟釀等，酒精濃度隨字數增多而升高，皆色澤清澈，口感清爽。初霧濁酒，則因酒體呈白色混濁狀而得名，餘韻甘香，它亦是清酒家族成員。「極清——臺灣清酒」以瓶內冷藏熟成，口感清腴飽滿。「初霧——燒酎」又稱日本燒酒，蒸餾釀製而成，醇厚香甜。荔枝蜂蜜酒，以蜂蜜與荔枝原汁經低溫發酵釀造，金黃玉液芳香醺甜。霧峰農會酒莊所產酒品自 2010 年起屢獲「德國國際烈酒評鑑」、「法國巴黎國際酒類評鑑」、「比利時布魯塞爾世界酒類評鑑」等國際競賽金牌、銀牌獎項。2018 年更拿下三金：「初霧純米吟釀」贏得德國國際烈酒競賽金牌獎，「荔枝蜂蜜酒」及「初霧燒酎」獲布魯塞爾世界酒類評鑑金牌獎，為臺灣爭光。（文／韋瑋）

該有多好！」

　　香米的故事繼續，緊接著，霧峰農會推廣香米產銷，開展白米生金的傳奇，逐步把香米發展為文化產業，多角化經營，除了清酒，還有酒粕面膜等周邊產品。農會努力了十多年，將益全香米發揚光大。香米，象徵著這片土地的幸福，土地生養著種米人和食米人，生於斯長於斯的黃景建，看著街景更迭，農村現代化的過程中，挑戰重重，如何面對生產力老化、國人飲食習慣改變、臺灣加入 WTO 的衝擊……他知道自己肩負著什麼。在新時代，農不只是農，還必須提升文化的高度，讓價值堆疊。

　　兼具文化觀光功能的酒莊，由閒置的萬豐舊穀倉改建而成，酒品銷售及酒莊超市，儼然成為霧峰農會的未來金雞母。因酒莊停車場不敷使用，農會遂租用毗鄰的舊民生診所，利用其空地作為停車場，沒想到，地方學者及文化工作者廖淑娟、孫崇傑、林錫銓等人帶領學生踏查後，發現這是一處充滿故事的歷史空間。屋主林鵬飛為地方上十分有名望的退休良醫，鄉親尊稱「阿飛仙」，不但仁心仁術，他的身上還交織著一則太平洋

老屋新生的「霧峰‧民生‧
故事館」於 2016 年夏天正式開
館。（陳冠閔／攝影）

霧繞罩峰｜阿罩霧的時光綠廊

【上】【下】「霧峰・民生・故事館」一樓復刻阿飛仙看診間,二樓闢有全臺第一個神靖丸事件展覽室。(熊與貓咖啡書房/提供,鄧惠恩/攝影)

霧繞罩峰│阿罩霧的時光綠廊

戰爭的悲劇，那是近乎一個世代臺灣醫療菁英的殞落，
其中更有阿飛仙的同窗。

感天動地的神靖丸故事

鄭子昌、李德輝、郭安邦、林永泰……這些畢業於
臺北帝國大學附屬醫學專門部（國立臺灣大學醫學院前
身）的前、後期校友，搭上一艘名為「神靖丸」的日本
運輸船。二次大戰尾聲，神靖丸號滿載臺籍軍醫及農工
兵，從高雄港駛向南洋戰區，啟航時，大家在甲板上翹
首回望，幾乎是最後一眼的家鄉。

1945 年 1 月 12 日，越南西貢河口聖雀岬港，剛
吃過早餐，美軍偵察機嗡嗡盤旋過後，飛來九架格魯
曼戰鬥機俯衝而下，掃射港內大小船舶，港口瞬間化
為一片火海。彼時世界最強的第三艦隊啟動殲滅式攻
擊，航空母艦的戰機一日升空 1465 架次，四十多艘日
軍船艦當場炸沉。

神靖丸號駛進了海上地獄。來自臺灣各地的 59 名
醫師、80 名醫務助手、200 名農業生產工員，多數罹難，

光是醫師便歿了 41 人，一個世代的菁英，共兩百多位
正值壯盛的無辜青年魂斷異鄉，離日本戰敗投降只差七
個月又三天。一直到該年十月，家屬才收到戰歿通知，
領回一只包著白布的小木箱，裡頭只有一個寫上名字的
牌子，再無其他。

這個太平洋戰爭的重要逗點，很少人知悉，沒寫進
歷史課本。或許是因少數倖存者歷經顛沛流離回到故
土，怕被扣上漢奸帽子，加上隨後爆發二二八事件，島
內噤聲，無人敢提起神靖丸三個字，這個史實遂跟著亡
魂一起沉入幽深的遺忘之海。

罹難者鄭子昌醫師的獨子鄭宏銘，長大後也成了
醫師，父親犧牲時他未滿一歲，沒喊過一聲爸爸，卻
在 62 年後，受到一股莫名力量召喚，開始追尋父親的
故事。他成立神靖丸部落格，往返臺、日、美各地蒐集
資料，2008 年得知與父親同期就讀臺北帝大的林鵬飛
醫師，當時因年紀太小未被徵召至南洋，後來居住在臺
中，遂前往拜訪。年近 90 的林鵬飛一見到同學的兒子，
當場痛哭起來，歷史的斷線重新接上，那一刻，鄭宏銘
終於感到和父親確切地連結在一起。故事慢慢拼湊起

來，遺族們互相接觸，歷史的雪球愈滾愈大……

　　兩年後，鄭宏銘意外從亞洲大學「霧峰學」網頁讀到當地人稱「阿飛仙」的名醫林鵬飛過世的消息，於是寫信給該課程指導老師廖淑娟，開啟神靖丸故事到霧峰的契機。2014年霧峰農會買下林鵬飛醫師舊民生診所的土地，除了用來推動食農教育，黃景建決定保留老屋並進行修復；2016年夏天，以「霧峰・民生・故事館」的面貌與民眾見面。一樓復刻阿飛仙看診間，主要介紹阿飛仙行醫故事，二樓闢有全臺第一個神靖丸展覽室，陳列相關書信、文物，還有精巧復刻的縮小版神靖丸號模型。透過陳約瑾等在地老師的規畫，農會委託莊文毅和林秀美兩位夫妻檔文史工作者，打造出令人驚豔的展覽內容。這個具有社區博物館性格的地方文化館，小而精，由民間自發性地生長出來，因為神靖丸的故事，而有了世界級的格局。

　　2016年初，筆者受邀走進當時尚未對外開放的民生故事館，默默旁觀神靖丸遺族家屬的聚會，手上握著一份沉重的神靖丸名單：施金旺、王式玉、連煥文、洪元約……每一個名字，都有一個大江大海的故事。

【上】【下】「霧峰・民生・故事館」闢有「農學食堂」，提供在地食材有機餐並舉辦
多樣化的食農教育活動。（熊與貓咖啡書房／提供，鄧惠恩／攝影）

「將歷史記錄下來，讓子孫了解過去，珍惜未來。」
這是黃景建經營文化館舍的起心動念，但農會沒有忘記
自己的農業本位，重生的老屋裡，除了裝載集體記憶的
故事展間，還闢有提供有機食材和履歷肉品的「農學食
堂」餐廳，戶外以「自然農學園」為主體，延伸綠色廊
道，營造可食地景，周邊的初霧學堂、初霧廣場陸續完
工，從酒莊到故事館，漸漸形成一個富有藝文氣息的食
農教育園區。「霧峰・民生・故事館」的啟用，可視
為農業發展結合文化觀光的里程碑。

第五章 Chapter 5

宜居宜遊的轉型試驗城鎮

在地知識分子帶動一波波豐沛的社造能量，加上創意人以靈活手法串織分散的節點，一條文化綠廊、一面可觀可觸可走進的城鎮博物館地圖，正在緩慢成形。

霧繞罩峰｜阿罩霧的時光綠廊

北溝故宮文物典藏山洞在文化保
存運動者及多位地主共同努力之
下，由臺灣花園城市發展協會提
報登錄為「歷史建築」，2014
年正式通過文資指定。
（吳東明／攝影）

霧峰是田園景致圍繞的文化小城，與多數農業城鎮不同的是，此地人口較為密集的蛋黃區密布著文化資產，除了影響臺灣政治、經濟、社會、文化發展甚鉅的霧峰林家家族史，及其名列國定古蹟的全臺最大清代古宅聚落，還有舊省府時代所遺留的官舍建築，包括省議會紀念園區裡的三幢市定古蹟，以及登錄為「歷史建築」的舊省教育廳、登錄為「文化景觀」的光復新村省府眷舍，這些老空間正陸續展開引人入勝的活化利用。

到中臺灣影視基地懷想北溝故宮

北溝故宮文物典藏山洞則是一個特別的存在，塵封多年後重見天日。它見證了故宮文物搬遷歷程，標誌著故宮在霧峰的一段歲月——故宮文物於 1948 年底至 1949 年初分三批運抵臺灣，在臺中糖廠倉庫暫存一年後，1950 年起，全部文物遷往霧峰吉峰村（今吉峰里）北溝，直至 1965 年臺北外雙溪新館落成後運往新館，在北溝存放 16 年，期間因故宮文物盛名，成為當時國內、外學者研究、參觀及接待外國元首之重要場所。此山洞遺跡在多位地主及文化保存運動者合作努力之下，2014 年登錄

為「歷史建築」。在地導演李佳懷於山洞保存下來後，也完成了一部紀錄片《廢墟的力度——北溝藏寶傳奇》。

以故宮博物院副院長職位退休的書法家莊嚴，當年是文物管理當局「故宮中央博物院聯合管理處」故博組主任，他的四位公子莊申、莊喆、莊因、莊靈，隨父輩見證文物南遷歷程，日後皆成為重要文人，莊申為美術史家，莊因為散文家，莊喆為畫家，莊靈為攝影家。莊靈在〈北溝故宮今安在〉一文裡回憶北溝鄉居的日子——在父親身教言教下每天臨池練字，以及藝友間的文墨往還和生活趣味追求，包括到後山尋採野生靈芝，1963 年首次在田間野溪邊倡辦曲水流觴雅集等。莊靈自陳北溝是他們的心靈原鄉：

大哥莊申從高中時代便開始鑽研中國美術史，二哥莊因後來浸淫中國文學並長於書藝和散文寫作，三哥喆一生致力以傳統中國繪畫感覺和精神為內涵的抽象表現主義的繪畫創作；我想北溝故宮的那段日子，都提供了最關鍵的扎根和成長養分來源。

文學大家齊邦媛 1959 年至 1965 年曾在北溝故宮服務，擔任兼職英文秘書，負責筆譯與口譯，每逢外國元首造訪，她都會到現場協助貴賓的導覽和接待。她在〈故宮

文物與人性空間〉裡寫道：「霧中的山峰，實在妥切比喻了初來臺灣那十年中華民國所處灰濛濛的境地，選定北溝作國寶安全落腳之所，主要是因為它隱僻且山上鑿洞較為乾燥……」霧峰的回憶在齊邦媛的生命史上佔有一席之地，當她在臺北外雙溪公路上遠遠看見故宮博物院的琉璃瓦飛簷，常常會想起北溝故宮：「常常會想念由霧峰往北溝去，疏疏落落的路樹，雞飛狗吠的農家，灰瓦平房水泥地的故宮文物管理處陳列室，後山警衛嚴守的倉庫，山坡竹林中莊伯伯的家……」文中的莊伯伯指的即是莊嚴。

　　故宮在北溝時期興建的相關建物有文物庫房、宿舍、防空山洞及陳列室等，其中山洞約興建於 1952 至 1953 年間，平面呈 U 字型，結構採鋼筋混凝土構造，作為文物防空及典藏空間。文物遷往臺北後，全區的空間使用歷經多次變遷，臺灣省電影製片廠（簡稱「臺製廠」）及臺灣省教育廳交響樂團（簡稱「省交」，國立臺灣交響樂團前身）曾在此辦公。受九二一大地震影響，此區建物受損嚴重，現今僅存山洞遺跡。

　　1994 年臺灣交響樂團遷至今霧峰國小旁現址，位在一個聯合辦公區裡頭，聯合辦公區裡目前還進駐了教育部國民及學前教育署、交通部觀光局相關單位。其中

【上】【下】「臺灣音樂文化園區」裡設有一個具體而微的小型音樂教育館，包括樂器展示區、指揮體驗區、多媒體互動區等，是附近學校課外教學、親子旅客流連忘返的熱點。
（熊與貓咖啡書房／提供，鄧惠恩／攝影）

國立臺灣交響樂團「臺灣
音樂文化園區」演奏廳的
設備擁有國際規格，立面
外牆上，藝術家林昭慶的
陶塑作品「音樂饗宴」豔
麗奪目。
（熊與貓咖啡書房／提供
鄧惠恩／攝影）

臺灣交響樂團在此除了行政大樓，亦擁有設備頂尖的
演奏廳、影音圖書館、委外經營的旅館「音樂世界旅
邸」，2009 年發展為「臺灣音樂文化園區」。 影音館
相當於一個具體而微的小型音樂教育館，設有樂器展示
區、指揮體驗區等，是附近學校課外教學、親子旅客流
連忘返的熱點。演奏廳立面外牆，為藝術家林昭慶的陶

霧繞罩峰｜阿罩霧的時光綠廊

塑作品「音樂饗宴」，豔麗奪目，常令行經者放慢腳步駐足欣賞，色彩繽紛的樂器和音符彷彿在陶壁上舞動著，表現出豐富的躍動感，剛落成時是臺灣面積最大的公共藝術品，也是東南亞面積最大的陶壁創作。國臺交作為臺灣音樂教育基地，停在園區裡的活動舞臺車是重要配備，經常開拔至臺灣各地演出，將樂團帶到戶外，

由國立臺灣交響樂團委外經營的「音樂世界旅邸」，為臺灣第一家音樂主題旅館，是造訪中臺灣的旅者物美價廉的住宿選擇。（熊與貓咖啡書房／提供 鄧惠恩／攝影）

讓民眾可以在大自然中輕鬆愜意地欣賞音樂。

　　至於前身為臺灣省電影製片廠的臺灣電影文化公司，其所成立的臺影文化城，在地震前便已漸漸沉寂，更因地震損毀而永遠關閉，園區擠滿影迷一睹明星丰采的場景，徒留追憶。此地曾是臺灣電影的生產中心，1974 年臺灣省電影製片廠遷至霧峰，並於 1988 年改組為「臺灣電影文化事業股份有限公司」，簡稱「臺影」。1990 年，臺影在片廠基地成立「臺灣電影文化城」，為臺灣首座以電影為主題的遊樂園。時光匆匆，震後二十年，臺中市政府積極推動影視產業發展，在附近起造一座「中臺灣影視基地」，2018 年竣工，佔地 3.12 公頃，將李安拍攝電影《少年 PI 的奇幻漂流》所使用的人工造浪池移來，另有 7 米深水池，三個挑高 16 米的攝影棚，皆具國際規格。基地預計引進各式器材，以水拍攝、特效拍攝、搭景拍攝為核心，結合中臺灣交通便利的多元景點，接軌臺灣影視與國際技術。基地周邊，霧峰林家、光復新村、亞洲大學校園本就是影劇拍攝熱點，有了影視基地進駐，將帶來相互加持的效應。

【上】【下】日本建築大師安藤忠雄在臺第一個落成的作品「亞洲現代美術館」，別號「安藤館」，除了保有安藤建築一貫的通透性，內、外皆充滿三角形元素，戶外草坪的輪廓亦為三角形，上頭設置中外名家經典雕塑，包括楊英風「鳳凰來儀」及羅丹「沉思者」。（熊與貓咖啡書房／提供，鄧惠恩／攝影）

亞洲大學校園為影劇及婚紗拍攝熱點，從建築樣貌到學生臉孔，皆瀰漫著濃濃的「國際風」。圖為從安藤館大廊門口望向對面的行政大樓。
（熊與貓咖啡書房／提供
鄧惠恩／攝影）

充滿轉型試驗精神的城鎮博物館

　　此地正在成為一座城鎮博物館──整個城鎮就是一座博物館。除了外界耳熟能詳的霧峰林家及光復新村，不能不點名的還有：吸引各國研究人員前來朝聖的「九二一地震教育園區」，日本建築大師安藤忠雄在臺第一個落成的作品「亞洲現代美術館」，臺灣第一個闢有神靖丸事件展覽室的「霧峰·民生·故事館」，省議會紀念園區裡的臺灣省議會會史館、立法院議政博物館，臺灣農業試驗所裡的昆蟲標本館、土壤陳列館、國家種原庫⋯⋯從許多角度看，此地密布著文化館舍的區域，不只是霧峰的蛋黃區，也是推動臺灣前進的核心基地之一，文化學者

臺灣省議會紀念園區裡有
三幢市定古蹟，其中議員
會館為從前省議會下榻、
用餐、喝咖啡的地方，如
今餐廳委由霧峰農會經
營，遠近馳名。
（熊與貓咖啡書房／提供
　鄧惠恩／攝影）

「立法院議政博物館」在
2007年和立法院中南部服
務中心同步成立，為臺灣
第一個國家級議政博物館，
與「臺灣省議會會史館」
同樣位在臺灣省議會紀念
園區裡，擔負起議會史料
展示及民主教育功能。
（熊與貓咖啡書房／提供
　鄧惠恩／攝影）

林錫銓稱之為「轉型試驗的文化之城」。

　　2010年阿罩霧文化基金會承接執行文建會（2012
年起改制「文化部」）「霧峰區域文化資產整合計
畫」，由林錫銓擔任計畫主持人，何佳修擔任協同主

持人，經過團隊一整年的霧峰文史翻閱與討論對話，發現霧峰乃是以往臺灣社會重大轉型的主要試驗基地，不論是政治民主、社會文化、農業科技、社區環境或生態保育的重要轉型，都與此區域有著重要關連，往往先從這個區域出發再推行到全臺灣。每一個轉型面向都可對應到此地相關機構或館舍、園區，這些佐證案例放諸全島，確實都具代表性。政治民主轉型對應到省議會，社會文化轉型對應到霧峰林家，農業科技轉型對應到農試所，社區環境轉型對應到光復新村，生態保育轉型對應到九二一地震教育園區及青桐林生態產業園區。城鎮裡的各個子區域合力指向一個共通的區域精神──「轉型試驗」。「試驗」是轉型前的審慎測試，同時具有科學研究的精神與創新前衛的行動。在林錫銓的用語裡，「臺灣轉型試驗文化」所蘊含的乃是一種勇於夢想、勤於實踐的草根科學精神。在他眼中，霧峰是一個充滿社會進步靈感與創意的地方。

「臺灣轉型試驗文化在霧峰」歷經系統化的研究後被發現，2010 年正式提出，衍生一套試圖整合地方文資景點的遊程願景「霧峰──轉型試驗城鎮之旅」，依據五大轉型面向發展出五條路線：

舊正社區的芳香療癒庭園
為霧峰諸多農村社造亮點
之一。
（熊與貓咖啡書房／提供
　鄧惠恩／攝影）

1. 詩情民主運動之旅

2. 在地文藝復興之旅

3. 新健康農業之旅

4. 探訪綠活村之旅

5. 全人生態教育之旅

　　為了追求最大應用性及適用性，這五條路線的實際
內容細節理當因人、因時、因地制宜。

　　以新健康農業之旅為例，「霧峰・民生・故事館」
在 2017 年正式開放，立刻成為此條路線的璀璨寶石，
除了緊鄰故事館的農會酒莊，還可以整合附近六股社區
的紫錐花田、舊正社區的自然生態農園或芳香療癒庭園
諸多農村社造亮點，再往外擴延，可走訪阿罩霧圳大水

車及昭和年間第一水門遺跡。用餐選擇相當多樣，省議會議蘆餐廳以在地菇蕈和水果入菜，民生故事館的農學食堂則提供最健康的有機餐。由於強調「吃在地、食當季」且融入霧峰文藝元素的創意風土飲食逐漸興盛，食農教育活動遍地開花，各種客製化的餐席引領著新一波舌尖上的旅行，譬如在農會「五甲地」友善耕作區舉行的「田裡有餐桌」活動，以及在舊正社區一起體驗製作土埆磚後就地享用社區廚房現場烹調的自然農割稻飯，或者訂購地方創生婦女團隊「心葉廚房」融合櫟社詩人文學想像所開創的「繽紛文學飯糰」（熊與貓咖啡書房輔導）到省議會草地上野餐。

這五條路線原本只是「願景」，經過八年的醞釀，由第一線的帶路達人各自詮釋、活用，已接近成熟階段，新誕生的優質景點陸續被納入，相關導覽人員的培訓亦逐漸到位，無論官方或民間，皆清楚意識到「文化觀光」的產業優化乃是霧峰「地方創生」的重要契機。

幸福椅子一代又一代

林錫銓除了提出文化理論詮釋霧峰的轉型試驗發

展，本身也是個撩起袖子帶著大家一起做的熱血行動家。

2014 年底，筆者第一次回到局部活化的光復新村，就被街道兩旁造型突出、顏色繽紛的椅子攫住目光，讓平時到了觀光景點不輕易舉起相機的筆者，忍不住見獵心喜。每回造訪，總可見一、兩組新人拍攝婚紗，更常見情侶雀躍地坐上椅子合影留念，從相機景框螢幕望出去，盡是幸福的風景。簡直是愛情公共藝術，因為這些椅子的存在，時光慢動作，拉長了美好的片刻。

即便一個人來，也可以享有幸福的權利。友善民眾的城市家具，隨時邀請疲憊的旅人入座。當你走累了，有張椅子歇腳，便得到一種小小溫馨。這樣的椅子多設在候車站、公園，但如此多彩多姿的版本倒是少見，那時的光復新村有幾個文化藝術單位進駐，想來是藝術家的傑作；湊近細瞧，每張椅子只以普通木料手工上漆，稱不上細緻，又像是社區居民的素人之作。

其中一張，椅背由一群金針菇模樣的木條組成，姿態活潑，一見它，童心也跟著躍動起來。還有一張，椅背、椅面攤開如一本大書，上頭爬滿一行行文字，你於是可以體驗坐進一本書的感受。其他還有神龕造型、鋼琴造型的椅子。

2013 年第三代幸福椅子，每一把都象徵著一個地方文化資產，這批椅子一起在光復新村待上好幾年歲月，是遊客觀照霧峰的藝術窗口。（林錫銓／提供）

霧繞罩峰 │ 阿罩霧的時光綠廊

幸福椅子運動

一開始，林錫銓透過課程設計要求同學們製作 100 張幸福椅子，初衷是讓來到光復新村散步的爺爺、奶奶休憩歇腳，也供拍攝婚紗的新人取景入鏡，其成果既可美化空間，又可當作宣傳地方的「哏」。第二年，結合霧峰區公所、屯區社大與地方團體，製作更大型、更具地方文化感的第二代幸福椅子。到了第三年，進一步提升為霧峰區的文化運動——2013 年，向霧峰以文圖書館申請 50 張報廢的椅子，進行「中部藍」（林獻堂所開創）彩繪，接著將椅子堆疊搭建成一座醒目的「幸福街堡」，繼而成立「幸福椅子工作坊」，以霧峰區公所的名義邀請區內在地團體共同參與製作具有霧峰文化資產內涵的一系列幸福椅子，置放在光復新村，吸引遊客前往拍照留念。

「幸福椅子運動」希望藉由公共藝術參與的過程宣揚理念並創造城鎮感動，這是一個將抽象的文化理念轉化為可感的藝術形式的過程。幸福椅子一代接一代推陳出新、延續理念，且歷經不同藝術工作者的發展演化，2016 年，光復新村摘星聚落的青年創業家們認養部分舊損的幸福椅子予以修復，還有人自行設計增添新的，使得幸福椅子的美學風格更加多元化。幸福椅子運動的場域不局限於光復新村，在演化發展後甚至未必以幸福椅子為名，但核心精神大致依循原始幸福椅子的概念，如今在霧峰各個文資活化和社區營造場域，你不難與一張令人感動的幸福椅子相遇。

這些椅子，果真命名為「幸福」！幾經訪查，原來，眼前所見的公共藝術，來自一系列的「幸福椅子運動」，推手為任教於亞洲大學休閒與遊憩管理學系的林錫銓。林錫銓來到霧峰任教已過十個年頭，剛開始兩、三年，總是行色匆匆地往返流動於臺北、臺中，但自從開始教授「社區美學」課程，接觸了在地文史及社區工作者，發現此地文化資產密集、社區活力十足，是一個隱藏人文珍寶的豐美之鄉，他遂慢慢從「過客」變成「新住民」。

2008 年光復新村人去樓空，家家戶戶盡是倉促搬離留下的垃圾雜物，屋外雜草叢生，野狗野貓盤據，未等政府資源介入，林錫銓便帶領學生進行環境整理與美化，這便是「幸福椅子運動」的源頭。師生在課堂上策動，邀請社區民眾參與彩繪，導入各方資源協力造椅，經過多年不斷的發展，幸福椅子成為藝術活化社區的亮麗典型。一張椅子能夠給你片刻的小確幸，而一群椅子，有了充滿魔力的文化點金術加持，還能引導人們走向社區理想國。

帶給地方活力的霧峰學

　　霧峰位居臺中市最南端，地處「邊緣」，土地面積在臺中市各行政區裡排名第四大，但人口卻排名第十九，明顯不成正比。除了農村人口外流是要因，精省及九二一大地震也帶來了不小的衝擊，這衝擊不只是經濟產業上的，也是心靈安居上的。震後的心靈撫慰工程、社區再造行動，兩所在此扎根的年輕大學扮演重要角色。霧峰的戶籍人口帳面上雖超過 6 萬 5 千人，其實有不少人「籍在人不在」，平時在外工作生

【上】
【下】
2018 年第六代幸福椅子的製作，結合魚鳥藝術工作坊於霧峰長青學苑舉行，此階段有更多在地親子朋友加入營造。
（陳冠閔／攝影）

活，當霧峰的實質生產及消費人口不足，經濟發展便顯頹勢，所幸亞洲大學和朝陽科技大學兩校師生合計填補了近三萬人的缺口，所以霧峰商圈周間平日熱鬧，市井生活氛圍熱絡，周末假日若無觀光客前來，反倒安靜許多，到了寒、暑假，尤其深受學生青睞的平價美食區樹仁路商圈，簡直唱起了空城計，許多店家乾脆拉下鐵門，一起放長假。

一條街的冷暖律動，反映出一個地方的發展困境與契機。在地大學的師生除了挹注消費能量，還能為地方創造什麼效應？

在地大學師生無疑是地方震後重生的源頭活水，2000年起，任教於朝陽科技大學的學者陳茂祥，憑著自身對於社區營造的專業與熱情，開啟該校大學生走出校門「服務學習」的風氣，帶領學生走進霧峰20個村里進行田野調查，訪問耆老，先後出版五個村莊的村史，這在中部是首開先例，引起各方關注、借鏡。2005年陳茂祥在朝陽科技大學首開「霧峰學」課程，同時進行「社區教育與社區研究體驗式教學法的建構」，從2006年至2009年三個學年，平均每學期帶著400位學生，每位學生每學期進入社區三次，在期末作成果報

告，三年完成 12 本報告書。

朝陽科大除了有「霧峰學」這門課，還多次以「霧峰學」為名召開學術研討會，累積了深具參考價值的論述文獻。

雖然朝陽的「霧峰學」可謂成果豐碩，但筆者和「霧峰學」的第一類接觸，卻是來自在地另一所大學……

2014 年筆者搬回霧峰老家居住，工作、生活皆在鄉土，經常從一些社區朋友口中聽到「霧峰學」。「今年在旱溪媽祖遶境又看到霧峰學的隊伍了，原來傳統文化也可以這麼青春無敵呀！」「聽說霧峰學的冬令營安排了領角鴞巢箱的製作體驗，大家一起幫貓頭鷹寶寶打造溫暖安全的家，要不要幫你家小朋友報名？」「霧峰學今天來到我們社區踏查，不是為了寫報告，而是為了設計桌遊，你知道桌遊是啥米碗糕嗎？」

筆者知道「桌遊」，但「霧峰學」讓人愈聽愈摸不著邊了：晨起校園賞鳥，秋日下田收割，舉辦農創市集，改造廢墟老屋，記錄口述歷史，擦拭各條馬路轉角反光鏡，還有跨國美食擂臺賽……，「霧峰學」是百變金剛或千變女郎？這是一門什麼樣的學問？如此活潑有趣、清新親民，跟農村社區、街市店家、地方寺廟、生態環

位在亞洲大學行政大樓的亞大圖書館，外觀宏偉、館藏豐富，2015 年發展情境閱讀計畫，以柔軟的動物形象妝點館內環境，與熊與貓咖啡書房合辦「貓咪圖書館」展覽，特別邀請插畫家貓小姐為亞大的六大學院繪製六幅學院貓吉祥物，圖為展場一角，圖書館館長廖淑娟正就著大面落地窗灑進來的天然光線展閱好書。（王維初／攝影）

境，保持著溫煦美好的關係。

　　最初，是一個人腦海裡的學問。外號小毛的孫崇傑，1989 年開始參與霧峰林家古蹟修復，1999 年九二一大地震後，他站在宮保第的瓦礫堆裡，望著才剛修好的大花廳一夕全毀的慘狀。走出宮保第，從地景到人心，滿目瘡痍，百廢待舉。2001 年適逢臺灣文學代表性社團「櫟社」一百周年，他遂號召成立「櫟協」，那是不同文化團體的大會師，透過各式各樣的工作坊，群策群力投入地方重建。

　　2003 年，亞洲大學社工系老師廖淑娟，邀請小毛以社區老師的身分到系上演講，那一場演講回響熱烈，她從小毛身上看到創造故事的魅力。廖淑娟如獲至寶，再邀小毛將演講內容發展為一個暑期夏令營，2004 年帶著在地兩所大學師生和社會青年踏查各個角落，全方位地認識霧峰，兩天的研習紀錄竟豐富到可以在圖書館舉辦成果展。這回，她從小毛身上看到了帶領夥伴的能力。於是，開學後，「霧峰學，學霧峰」這門課便在各方期盼下誕生了。

　　這門課有點辛苦，得經常出動，到尋常百姓家，去發現、去參與、去服務，校園的邊界模糊了。這門

「絲田水舌永續生態」創辦人孫崇傑，親自帶領「霧峰學」學生下田友善耕作，發展出「稻子熟了」香米品牌。（王維初／攝影）。

課太好玩，一點辛苦算什麼，教室外的天空熾烈，流汗流得酣暢淋漓。廖淑娟以融化人心的熱情，說動更多社區老師們一起來帶領，一轉眼，這門課已經十四歲了。回顧歷年成果，你會驚訝，每一學期的課程內容都不重複，雖然學生更迭，但知識建構卻能累積漸進，前人不斷地為後人打下基礎。

經過幾位先行者的長期耕耘，「霧峰學」的概念與精神早已擴延到地方各級學校、各個社區，「霧峰學」不只是一門課，更像是一系列啟發世人的在地行動。充滿理念的社會實踐，來自一顆又一顆「為了土地」的心，「大心」的聚合，引導人們重新觀照自己和地方的關係——你是哪裡人？你生活的所在是什麼

樣的地方？它為你帶來了什麼？你又為它做了什麼？

　　廣義的「霧峰學」並非特定專家所提出的學問，而是菁英和庶民共構的學習場域，是值得每一個人親近的鄉土知識，這「每一個人」包括生活在此地的居民、旅行到這裡的遊客、閱讀這本書的朋友，每一個人都可以在這個場域中汲取靈感、謀求啟發，關於理想社區的、美好家園的種種藍圖，以及實踐方案。

　　近年來，在地知識分子的行動意志，帶動一波波豐沛的社造能量，加上創意人以靈活手法串織分散的節點，一條文化綠廊、一面可觀可觸可走進的城鎮博物館地圖，正在緩慢成形。有形文化資產的成功保存，證諸這裡的人確實在意「文化」，即便一開始這些建築只是作為文化象徵物存在著，但透過故事的敘說、行動的記錄，無形的文化資產會被傳述、再現，願景被提出、激盪，文化的想像自然勃發起來。

結語 Conclusion

月與日在霧峰爭輝

從望月峰觀霧峰日落。
（陳冠閔／攝影）

　　遊人來霧峰，不可免俗地要去樣板景點「霧峰林家」走走。這個臺灣最大的清代古宅建築群，分為頂厝、下厝與萊園三大系統，萊園就在明台高中裡，是友善民眾的古蹟，散客在不打擾校園師生的前提下，於警衛亭做個登記即可入園。

　　園中的五桂樓乃臺中文學濫觴「櫟社」當年的聚會

所，飛觴醉月亭、荔枝島、小習池、鐵砲碑、櫟社二十年題名碑，幾步得一景，一景一掌故。騷人墨客來此緬懷日治時期先賢文人，常有民眾慕名而至，參訪這名副其實的花園高中。如果有緣，你會和一位氣宇非凡、與林獻堂長得幾分神似的青年照面，他正是林獻堂的曾孫林承俊，現任明台高中副校長，九二一大地震後，以建築專業背景參與萊園建築修復。新一代林家故事，就在這位青年教育家的身上延展推進。

嚴格說來，並非萊園在明台高中裡，而是明台高中在萊園裡，廣義的萊園應包含明台高中後山（與省議會後山中心瓏步道相連），舊時沿著萊園「千步蹬」拾級而上，通過山林小徑，可抵萊園最高點「望月峰」眺望盆地，拂曉觀日出，傍晚俯視萬家燈火點點升起，晴夜抬頭即有星月爭輝。

梁啟超當年受林獻堂之邀訪臺，下榻五桂樓，留下題詠萊園十景的十二絕句，望月峰乃其中一景：

望月峰頭白露滋，南飛烏鵲怨無枝；
不知消瘦姮娥影，還得娟娟似舊時。

從望月峰看霧峰夜景。
（陳冠閎／攝影）

首句寫景，其他三句皆抒發梁啟超個人感受。第二句形容自己的流亡生涯；三、四句將分隔兩地的妻子比為嫦娥，款款訴說思念之情。

如今望月峰已被一座高壓電塔龐然占據，望月峰旁稍低處留有一小片觀景平臺，熟門熟路的爬山民眾懂得在此停駐，收攬一會兒人間風景，但其古雅逸趣早成歷史陳跡。這片平臺背後，跨過一條小小山路，是一戶人家的後門，門前幾棵大樹自荒煙漫草堆拔起，無人親近。

2016 年寒冬，這裡開始有些動靜，比人還高的雜草被逐一剷除，樹下露出乘涼之地。過些時日，擺上幾

組彩繪課桌椅，看得出是淘汰後巧手再生的家具。再過些時日，出現一招牌「詩情豆花」的攤車，大多時候無人顧攤，攤上有一小書格，邀請過客隨手翻閱，格子裡，詩集居多。

常來爬山的民眾見此情景，歡喜油然而生，對辛勤營造環境、真誠分享好書的主人心懷感恩。春日再訪，可見樹上高掛幾面如詩如畫的布旗，最大那幅以飄逸瘦勁的書法寫上「江鳥飛林」四個大字，這塊園地遂有了名字……

生活在霧峰，勤於走逛，睜大雙眼，用心感受，常能與諸如此類的美妙日常不期而遇。雖然逝去的景物難再追回，但總有新的風情不斷從枝椏頂端冒出頭來。

朋友來霧峰，筆者屢屢建議他們至少停留一晚，不必來去匆匆，那些埋藏在大街小巷、山林小徑裡的歷史紋理，是此地最迷人之處，其中奧妙，唯有放慢節奏的人才能發現。

附錄 Appendix

霧峰林宅重修大事記

年　份	重　要　事　件
1858 年 -1906 年	從清咸豐年間蓋到日治時期，分成頂厝、下厝、萊園三大部分，總面積 15,030 平方公尺，南北面寬 280 餘公尺。
1983 年 -1984 年	林正方委託臺灣大學土木研究所都市計畫室（今臺大建築與城鄉研究所）組成團隊測繪霧峰林家建築群落。
1985 年	霧峰林宅公告為二級古蹟。
1988 年	賴志彰完成《霧峰林家建築圖集》頂厝篇、下厝篇及《臺灣霧峰林家留真集》，加上省府委其畫出的建築圖，成為日後復建依據。
1994 年	頂厝景薰樓開始修復。
1995 年	下厝大花廳開始修復。
1999 年	完工後即將驗收的大花廳因九二一地震全毀，林宅總建築群亦毀七成以上。
2001 年	萊園荔枝島、飛觴醉月亭和小習池由明台高中自力修建完成。
2001 年	行政院九二一重建委員會決議復建工程費用不足部分由九二一震災社區重建更新基金支應。

年　份	重　要　事　件
2004 年	萊園林氏祖塋修復完工。
2004 年	臺中縣文化局陸續完成頂厝景薰樓中落、頤圃及下厝大花廳、二房厝、宮保第修復工程發包。
2006 年	頤圃修復完工。
2007 年	大花廳修復完工。
2008 年	二房厝修復完工。
2010 年	宮保第修復完工。
2011 年	萊園五桂樓修復完工。
2013 年	臺中市政府委託臺南藝術大學進行宮保第彩繪修復工程。
2014 年	宮保第及大花廳對外開放參觀。
2016 年	宮保第彩繪修復完工。
2017 年	臺中市政府展開草厝修復工程。
2017 年	明台高中展開蓉鏡齋修復工程。

表格製作：何佳修、林德俊

光復新村文資保存與活化大事記

年 份	重 要 事 件
1998 年	臺灣省政府虛級化。
1999 年	九二一大地震。光復新村近 50 戶倒塌,造成死傷;斷層隆起及光復國中倒塌,蔚為奇景。震後災區湧入大批遊客。
1999 年	居民醞釀「光復發展協會」,展開社區第一次自發性集結討論,後續成立「光復新村自救會」。
2000 年	教育部承諾以光復國中舊址為範圍設置地震博物館,與光復新村並存。
2001 年	光復國中震災遺址原狀保存,正式定名,成立「九二一地震教育園區」。
2001 年	光復新村第二代吳東明成立「光復單冬仔文史工作室」,與學者李謁政及在地書畫家合作,發起「霧峰生活博物館」。
2008 年	政府國有土地騰空標售政策,居民被計畫性強制遷離。
2009 年	吳東明結合臺中縣屯區社區大學、專業者都市改革組織等共同推動光復新村保存,揭開地方團體集結保存文化資產的序幕。
2010 年	臺中縣文化局委託阿罩霧文化基金會承辦「霧峰區域文化資產整合計畫」,開始進行光復新村保存研究,由林錫銓主持,主要參與者包括基金會執行長何佳修以及吳東明、孫崇傑等。
2010 年	陳樂人導演《再見光復村》紀錄片首映。
2010 年	「臺灣花園城市發展協會」成立,范道莊出任第一屆理事長,吳東明擔任祕書長,臺大城鄉所教授劉可強為榮譽顧問。

年　份	重　要　事　件
2011 年	在地學者包括亞洲大學休憩系林錫銓、社工系廖淑娟等，帶領學生，結合地方團體，舉辦「夢想社區・未來市集」，此為之後一系列「車未來行動」之先聲。
2011 年	林錫銓導入「文化創意產業」服務學習課程，展開「幸福椅子運動」，嘗試以素樸藝術作為文化保存的實踐方法。
2011 年	臺灣花園城市發展協會提報臺中市文化局，申請登錄光復新村為臺中市「文化景觀」。
2012 年	「霧峰光復新村省府眷舍」公告登錄為臺中市第一處「文化景觀」。
2013 年	第一階段房舍整修完成，活化光復新村之示範場域「光復新站」開幕，象徵著公部門對於此處的經營管理進入積極實踐階段。
2013 年	「舊省府教育廳」登錄臺中市「歷史建築」。
2013 年	臺中市文化資產處屯區志工隊進駐光復新村進行導覽服務。
2014 年	臺中市政府整修六戶房舍開放認養營運，進駐成員包括「粹綠舍」、「光復異起」等學院及民間團隊，合為「光自在綠聚落」。
2015 年	臺中市政府推出「摘星青年・築夢臺中」計畫，初期修繕 39 戶房舍，供 70 位青年創業者進駐，組成文創聚落。
2018 年	國際非政府組織（INGO）中心正式揭牌，國內外非政府組織陸續進駐，此為光復新村下一階段發展主軸。

表格製作：林錫銓、吳東明、林德俊

參考文獻
Bibliography

● 書 籍

王穎，《霧峰林家——臺灣第一家族絕世傳奇》，北京：九州出版社，2009。

江凌青，〈美哉！霧峰〉，《散步路線——江凌青文學作品集》，臺中：國立公共資訊圖書館，2018。

李玉瑾等（編），《林獻堂先生與霧峰林家特展手冊》，新北：國立臺灣圖書館，2015。

李毓嵐，〈霧峰一新會——臺中婦女教育與社區營造的開端〉，《臺中歷史地圖散步》，臺北：中央研究院數位文化中心，2017。

林芳媖、江慶恭（編），《臺灣議會之父林獻堂仙逝六十周年紀念專輯》，臺中：明台高中，2016。

林承俊，〈萊園興修史話〉，《萊園寫真——走入人文匯聚的新地標》，臺中：明台高中，2002。

邱莉慧、吳是虹、高傳棋（編著），《霧峰林家與臺灣新文化運動》，臺北：臺北市文化局。

周郡禾等（編），《霧峰國小建校 120 周年校慶紀念專刊》，臺中：霧峰國小，2017。

長榮大學（編），《新修霧峰鄉誌》，臺中：霧峰鄉公所，2009。

郭俊沛建築師事務所，《長青學苑歷史建築「舊省政府教育廳」調查研究》，臺中：霧峰區公所，2013。

陳運造，《園林尋芳——臺灣省議會紀念園區樹木導覽手冊》，臺中：臺中縣政府，2003。

彭永康，〈漫步夕陽下——霧峰林家萊園〉，《夏季學校第十回：從異鄉素描到家國書寫》，臺北：吳三連臺灣史料基金會，2010。

張展瑞（編），《霧峰鄉農會 80 周年紀念特刊》，臺中：霧峰鄉農會，2001。

鄭梓，〈臺灣省議會簡史〉，《議壇風雲 52 年：見證臺灣省議會半世紀》，臺中：臺灣省議會，1998。

齊邦媛，〈故宮文物與人性空間〉，《一生中的一天：散文、日記合輯》，臺北：爾雅出版社，2017。

賴志彰（編撰），《臺灣霧峰林家留真集——近‧現代史上的活動 1897~1947》，臺北：自立報系文化出版部，1989。

鍾喬，《阿罩霧將軍》，臺中：晨星出版社，1998。

謝仁芳，《風起雲湧阿罩霧──霧峰林家開拓發展史》，臺中：貓羅新庄文史工作室，2016。

釋證嚴等（編），《披雲霧見山峰──霧峰國小‧新世紀‧新希望》，臺北：慈濟文化志業中心，2002。

● 期刊 & 論文

吳東明，〈在樂活五十之後〉，《擁抱在地人的感情──霧峰履歷創作 2》，臺中：中華民國霧峰文化創意協會，2007。

吳東明，〈臺灣戰後市鎮規劃的里程碑〉，《霧峰履歷 8：家在博物館》，臺中：中華民國霧峰文化創意協會、霧峰區公所，2013。

吳東明，〈省府舊教育廳：歷史回顧與保存紀實〉，《霧峰履歷 9：師路》，臺中：中華民國霧峰文化創意協會、霧峰區公所，2014。

吳東明，〈光復新村──當哈利碰上莎莉：光復新村「文化景觀」與「青創基地」之交會〉，《霧峰履歷 12：藝文

廊道》，臺中：中華民國霧峰文化創意協會、霧峰區公所，
2018。

林俊明、吳麗端，〈霧峰林家宮保第園區——繼往開來，
共創霧峰文化新頁〉，《霧峰履歷 12：藝文廊道》，臺中：
中華民國霧峰文化創意協會、霧峰區公所，2018。

林錫銓，〈今天在光復新村上課！〉，《霧峰履歷 8：家
在博物館》，臺中：中華民國霧峰文化創意協會、霧峰區
公所，2013。

林錫銓、舒亮・伊斯卡卡夫特，〈城市美學之草根實踐
——霧峰「幸福椅子運動」〉，「第六屆公共治理學術研
討會暨論壇」論文，臺中：中興大學國家政策與公共事務
研究所，2014。

林秀美，〈六股民生診所「阿飛仙」——從民生診所到民
生故事館〉，《霧峰履歷 10：社區傳奇》，臺中：中華民
國霧峰文化創意協會、霧峰區公所，2015。

柳昭蕙，〈農業試驗所簡介〉，《霧峰履歷 8：家在博物館》，
臺中：中華民國霧峰文化創意協會、霧峰區公所，2013。

陳志和，〈林本堂股份有限公司——以文創視野重開霧峰
林家大門〉，《霧峰履歷 11：企業家精神》，臺中：中華

民國霧峰文化創意協會、霧峰區公所，2016。

許麗芩等，〈傳奇家族——霧峰林家〉，《大地地理雜誌》，
第 137 期（1999），頁 32~81。

彭永康，〈霧峰林家教育簡史〉，《霧峰履歷 9：師路》，
臺中：中華民國霧峰文化創意協會、霧峰區公所，2014。

張有明，〈阿罩霧自然農〉，《霧峰履歷 11：企業家精神》，
臺中：中華民國霧峰文化創意協會、霧峰區公所，2016。

曾士全，〈霧峰‧民生‧故事館——以醇厚的歷史營創
良善的新民生〉，《霧峰履歷 12：藝文廊道》，臺中：中
華民國霧峰文化創意協會、霧峰區公所，2018。

葉憲峻，〈霧峰地區初等教育機構創設模式之探討〉，「霧
峰學學術研討會」論文，臺中：朝陽科技大學通識教育中
心，2009。

劉政杰，〈臺灣省議會會史館〉，《霧峰履歷 8：家在博
物館》，臺中：中華民國霧峰文化創意協會、霧峰區公所，
2013。

賴志彰，〈傳奇宅院遭浩劫：霧峰林宅能再起嗎？〉，《大
地地理雜誌》，第 139 期（1999），頁 36~41。

蘇于修，〈霧峰民生故事館，串起改變的契機〉，《紮根臺灣 302 種味》，臺中：中華民國農會，2017。

● 報紙

何宗翰（2017 年 12 月 10 日）。〈釉彩魔術師向自然借靈感——蔡榮祐「控制」美學〉。《自由時報》，文化周報。

范道莊（2012 年 6 月 19 日），〈住在花園城市裡的動物園〉，《聯合報》，繽紛版。

莊靈（2014 年 7 月 6 日），〈北溝故宮今安在〉，《聯合報》，聯合副刊。

廖振富（2017 年 6 月 9 日），〈從阿罩霧出發〉，《聯合報》，聯合副刊。

《霧繞罩峰：阿罩霧的時光綠廊》

作　　　者	林德俊
發　行　人	林佳龍
主　　　編	王志誠（路寒袖）
編 輯 委 員	施純福・黃名亨・楊懿珊・林敏棋・陳素秋・林承謨
執 行 編 輯	郭恬寯・陳兆華・錢麗芳・范秀情・蔡珮芸・洪國恩・ 林俞君・張甯涵・張景森

出 版 單 位	臺中市政府文化局
地　　　址	臺中市西屯區臺灣大道三段 99 號惠中樓 8 樓
網　　　址	http://www.culture.taichung.gov.tw
電　　　話	04-2228-9111
展 售 處	五南書局／ 04-2226-0330 ／臺中市中區中山路 6 號
	國家書店松江門市／ 02-2518-0207 ／臺北市中山區松江路 209 號 1 樓

編 輯 製 作	遠景出版事業有限公司
負 責 人	葉麗晴
主　　　編	賴雯琪
執 行 編 輯	吳建衛
封 面 插 畫	鄭硯允
美 術 設 計	高仕宇
內 文 排 版	謝靜艾

地　　　址	新北市板橋區松柏街 65 號 5 樓
電　　　話	02-2254-2899
傳　　　真	02-2254-2136
劃 撥 戶 名	晴光文化出版有限公司
劃 撥 帳 號	19929057
總 經 銷	紅螞蟻圖書有限公司

初　　　版	中華民國 107 年 12 月
定　　　價	新臺幣 300 元
G　P　N	1010702361
I　S　B　N	978-986-05-7875-1

國家圖書館出版品預行編目資料

霧繞罩峰：阿罩霧的時光綠廊／林德俊　著－初版－
臺中市：中市文化局，
民 107.12　面；　公分 . －（臺中學 . 2018）

ISBN 978-986-05-7875-1(平裝)

733.9/115　　　　　　　　　　　107021671

版權所有　未經許可禁止翻印或轉載